D1263782

La technologie

Chaise en fibre de
verre et plastique
(années 1960)

Machine à tester
la dureté des métaux

Aspirateur à effet
cyclone (1993)

Mixeur (1992)

Bicyclette monocoque (1992)

Gramophone (années 1920)

Couvercle de boîte en aluminium

La technologie

Aluminium

par
Roger Bridgman
Photographies originales de Clive Streeter
Traduction et adaptation de Philippe Pradel

Téléphone mobile (1993)

Jouet : pompe à eau
en matériaux recyclés

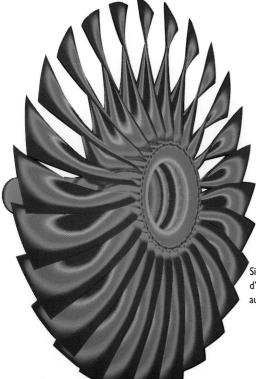

Simulation par ordinateur
d'une turbine de réacteur
au décollage

Théodolite (XVIIIᵉ siècle)

GALLIMARD

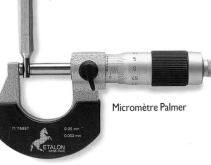

Fabrication d'une poterie
par colombinage

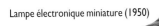

Micromètre Palmer

Lampe électronique miniature (1950)

UN OUTIL POUR TOUTE LA FAMILLE

Pour encourager le lecteur à observer
le monde qui l'entoure, pour répondre
aux nombreux pourquoi et comment
de la vie quotidienne ou aux grandes
interrogations de l'Univers, voici
une encyclopédie scientifique accessible
à tous, grâce à son attrait visuel
et à sa simplicité. *La technologie* est un livre
que l'on prendra l'habitude de consulter
en famille et qui, alliant la fascination
de l'image à la sérénité de la lecture,
permettra, à tous les âges,
de redécouvrir le plaisir de comprendre.

UNE SOURCE DE RÉFÉRENCES, D'EXPÉRIENCES ET D'INSPIRATION POUR LES ÉLÈVES ET POUR LES ENSEIGNANTS

Pour l'école, le collège ou le lycée,
dans le cadre des programmes d'enseignement,
cet ouvrage présente quantité d'exemples
et d'expériences, majeures ou moins
connues, qui expliqueront et illustreront de façon
vivante et active l'histoire et les principes de la science.
Il aborde la connaissance en fertilisant l'imagination,
facilitant ainsi le travail de la mémoire, et permet
de passer tout naturellement du concret à l'abstrait.

Direction éditoriale et artistique

Responsables éditoriaux :
Josephine Buchanan et Charyn Jones
Directeurs artistiques :
Emma Boys et Lynn e Brown
Maquettiste : Elaine C. Monaghan
Responsable de la fabrication : Fiona Wright
Iconographes : Deborah Pownall
Conseiller éditorial : Eryl Davies

Édition originale parue sous le titre :
Eyewitness Science Guide "Technology"

DK Copyright © 1995 Dorling Kindersley Limited, Londres
Copyright pour le texte © 1995 Roger Bridgman

Pour l'édition française :
ISBN 2-07-058704-5
Copyright © 1995 Éditions Gallimard, Paris
« Loi n° 49-956 du 16 juillet 1949
sur les publications destinées à la jeunesse »
Dépôt légal : octobre 1995.
Numéro d'édition : 70427

Imprimé à Singapour

Lampe à huile

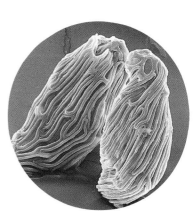

Graines d'orchidée
vues au microscope électronique

Essai de réacteur

Moulage de métal dans une fonderie

Charge sur une poutre

SOMMAIRE

Soudure à l'arc

La technologie est la science et l'art de créer et d'utiliser les objets. Seul l'être humain est capable de transformer les matériaux naturels en outils, en machines et en systèmes performants. Les utilisations d'outils par certaines espèces animales existent, mais elles sont rares et leurs évolutions très lentes. Tandis que les hommes sont capables de les faire évoluer et de tirer parti de découvertes accidentelles. Celle du feu, par exemple, en permettant la transformation de l'argile en poterie, des roches en métal, a marqué l'avènement du monde moderne. Au cours des derniers siècles, les scientifiques ont découvert les propriétés des matières premières et inventé les principes des machines. Ce qui a permis d'améliorer d'anciens matériaux et d'en créer de nouveaux.

Roue de lecture de l'époque victorienne

L'invention est une véritable passion. Ce dispositif créé au XIXe siècle prétendait offrir aux érudits de l'âge préélectronique une souplesse analogue à celle que nous offre aujourd'hui un ordinateur personnel (p. 55). En tournant la roue, le lecteur avait accès à toute une gamme d'écrits. Mais comme beaucoup d'inventeurs, celui de cette roue de lecture oublia de prendre en considération son coût et sa commodité.

MALGRÉ LE PROGRÈS, INVENTER RESTE LE PROPRE DE L'HOMME

Les inventeurs (p. 52-53) disposent aujourd'hui d'une vaste gamme de matériaux, de méthodes et de composants pour réaliser leurs idées. De plus, leur travail se trouve facilité par l'ordinateur. Seule l'habileté proprement humaine est à même de produire des objets qui à la fois fonctionnent bien, ne coûtent pas cher et restent attirants pour l'utilisateur.

Chadouf chinois

L'eau est indispensable aux hommes, à l'agriculture et à l'élevage (p. 44-45). D'ingénieuses techniques de puisage et de distribution d'eau ont permis l'aménagement de territoires arides. Cette grue rudimentaire, le chadouf, fut utilisée dans toute l'Asie pendant des milliers d'années. En lestant l'une des extrémités de la flèche, on pouvait hisser les seaux depuis la rivière jusqu'au canal d'irrigation.

Vol à vapeur

Cette machine volante datant du XIXe siècle était actionnée par la vapeur. Elle trahit l'incompréhension des principes du vol, comme en témoigne la lourde machine sanglée sur la poitrine de l'utilisateur. Même s'il était parvenu à prendre son envol, il aurait été dans l'incapacité de se diriger.

Armes accrochées sous l'aile

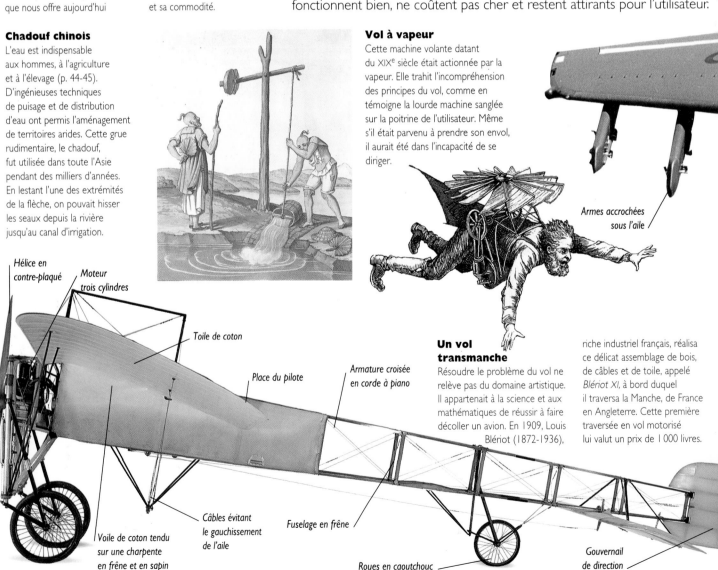

Hélice en contre-plaqué

Moteur trois cylindres

Toile de coton

Place du pilote

Armature croisée en corde à piano

Un vol transmanche

Résoudre le problème du vol ne relève pas du domaine artistique. Il appartenait à la science et aux mathématiques de réussir à faire décoller un avion. En 1909, Louis Blériot (1872-1936), riche industriel français, réalisa ce délicat assemblage de bois, de câbles et de toile, appelé *Blériot XI*, à bord duquel il traversa la Manche, de France en Angleterre. Cette première traversée en vol motorisé lui valut un prix de 1 000 livres.

Voile de coton tendu sur une charpente en frêne et en sapin

Câbles évitant le gauchissement de l'aile

Fuselage en frêne

Roues en caoutchouc

Gouvernail de direction

Une seconde peau
Les fibres textiles issues des plastiques modernes ont modifié la qualité des tenues sportives et contribué à améliorer les performances.

La résistance du Nylon et l'extensibilité du Lycra font du tissu de ce maillot de bain une véritable seconde peau fine et moulante.

Tannage du cuir
Le tannage des peaux est un procédé industriel très ancien. La méthode traditionnelle (ci-contre au Maroc) utilise l'écorce d'arbre, riche en une substance chimique appelée tannin. Cette méthode prend plusieurs semaines. Les techniques modernes, à base de composés chromés, ne durent qu'un ou deux jours. Le tannage transforme la couche de peau située sous la fourrure en une matière fibreuse, flexible et résistante à l'abrasion. D'abord traitée à la chaux pour enlever le poil, puis immergée dans le sel et l'acide, la peau est enfin soumise à l'action de la solution tannante pour obtenir le cuir.

Stabilisateur en fibre de carbone

Marque d'identification

Aileron de contrôle d'altitude

Tuyère d'éjection orientable

Turboréacteur

Verrière en plastique acrylique

Entrée d'air

Siège éjectable du pilote

Avion militaire
La qualité des matériaux actuels, le savoir-faire et les découvertes récentes ont concouru à la réussite des lignes aérodynamiques des avions modernes. Le profil de l'aile génère une faible pression au-dessus et une forte dessous ; cette force propulse l'avion vers le haut. Toutefois, cet appareil britannique Harrier, est capable d'effectuer toutes sortes de figures aériennes. Ses réacteurs puissants (p. 37) le propulsent à la verticale pour le décollage, avant qu'il n'atteigne la vitesse de croisière de 1 180 km/h.

Augmentation des rendements du sorgho
Alliance de la science et de la technique : ce cliché aux infrarouges (p. 59) illustre la réponse du sorgho sucré à l'arrosage. Ces observations sont menées dans le but d'augmenter le rendement de la culture de cette céréale dont la fermentation produit des biocarburants tels que l'alcool, présumés capables de remplacer un jour le pétrole.

Il y a déjà plusieurs milliers d'années, les hommes cherchaient à façonner à partir des matières naturelles brutes des outils capables d'améliorer leur survie. On trouvait en abondance de l'argile molle, facile à modeler mais fragile. Les techniques de cuisson et d'émaillage lui conférèrent une consistance et une étanchéité convenant parfaitement aux récipients de cuisson et de conservation. Chauffé avec d'autres substances, le sable se transformait en une matière lisse et translucide : le verre. D'autres minéraux se métamorphosaient en métaux durs et résistants. Tous ces procédés utilisaient souvent la chaleur comme source d'énergie.

Céramique grecque

Le fond de cette coupe provenant de la Grèce antique a été décoré selon un procédé de grattage qui fait réapparaître le fond d'argile rouge sous la surface noircie : il représente un artisan en train de façonner de solides sandales en cuir.

Une poterie par colombinage

Les poteries sont réalisées en argile blanche ou rouge. Il faut d'abord laver l'argile brute pour la débarrasser de ses impuretés, puis la faire sécher jusqu'à obtenir une bonne plasticité.

Les colombins servent à monter la pièce.

DES TECHNIQUES QUI PERDURENT

La plupart des anciennes techniques pour transformer les matériaux sont encore employées mais à une bien plus grande échelle : elles demandent des quantités d'énergie considérables.

Ensuite on la malaxe pour la rendre homogène : la moindre bulle d'air emprisonnée peut faire éclater les poteries à la cuisson.

1 Montage de la pièce
Les poteries rondes sont les plus résistantes ; le colombinage est une technique de montage. Il faut d'abord rouler l'argile en longs et fins boudins : les colombins. Ceux-ci sont ensuite collés les uns aux autres par de la barbotine, mélange crémeux d'argile et d'eau.

Les mains du potier lissent la surface.

2 Lissage de la surface
La surface bosselée obtenue par l'empilement des colombins doit ensuite être égalisée à la main ou à l'aide d'un outil de lissage. Une fois sèche, la pièce est placée dans un four spécial appelé four à céramique qui la cuit à très haute température.

3 Émaillage
Il faut 8 à 10 heures de cuisson pour transformer l'argile en biscuit. Ensuite sa surface doit être émaillée.

L'émail est appliqué au pinceau.

L'émail contient des éléments vitreux, en suspension dans l'eau, mêlés à des substances chimiques colorantes.

4 Finition de la poterie
La poterie est cuite à nouveau et l'émail forme une couche vitrifiée, protectrice et étanche, de bel aspect.

Des effets intéressants sont obtenus en variant la composition de l'émail.

La présence de cobalt dans l'émail produit la couleur bleue.

Un œuf cru

De nombreux produits naturels sont principalement composés de protéines. En plus de ses propriétés alimentaires, le blanc d'œuf est formé de grosses molécules, ce qui en fait une substance épaisse pouvant servir de colle ou de liant de peinture.

Blanc d'œuf visqueux

Un œuf cuit

Après cuisson dans l'eau bouillante, les protéines du blanc d'œuf ne forment plus une solution limpide. La structure chimique ayant été décomposée, l'œuf est plus digeste.

Le blanc d'œuf n'est plus limpide.

Chimie culinaire

La nourriture, comme tout le reste, est constituée de minuscules particules appelées atomes, lesquels, combinés entre eux, forment des molécules. L'énergie amenée par la cuisson modifie les liaisons existantes à l'intérieur des molécules et entre elles, et en forme de nouvelles. Elle casse les grosses molécules en plus petites, plus facilement assimilables, et génère ainsi de nouveaux parfums et de nouvelles consistances. La chimie de la cuisson va transformer cette pâte épaisse, préparée industriellement, en délicieux biscuits.

FABRICATION DE BOUTEILLES EN VERRE

Depuis plus de 6 000 ans, on fabrique du verre en chauffant du sable avec de la soude et de la chaux. Aujourd'hui, on y ajoute des composants pour optimiser les couleurs et augmenter la résistance aux chocs thermiques. Le verre a l'apparence d'un solide, mais pour les physiciens il s'agit d'un liquide figé. Chauffé au rouge vif, il devient très fluide et se prête au moulage et au soufflage. Il est résistant à la corrosion mais fragile, aussi les bouteilles doivent-elles être suffisamment épaisses. Lorsque la transparence et la dureté restent les critères essentiels (pour une vitre ou une lentille d'objectif), le verre n'a pas d'équivalent.

Les principaux composants

Le verre est fait de matériaux communs : sable, soude et chaux.

L'alliage de ces composants fond relativement facilement et forme un verre résistant.

Chaux

Sable

Soude

Canne creuse pour souffler le verre

La paraison est prête à être placée dans le moule.

On écrase le verre sur une surface plane pour préparer le fond.

Styles de bouteilles

Il existe toutes sortes de formes et de tailles de bouteilles, chacune étant adaptée à un usage particulier : le consommateur dédaignerait une bouteille dont la ligne ne correspondrait pas au genre de produit qu'elle contient. Pour imaginer de nouveaux modelés et en apprécier l'impact visuel, les artisans verriers ont recours aux prototypes en plastique (comme cette nouvelle bouteille de ketchup) ou à la conception assistée par ordinateur.

Les composants du verre sont chauffés dans un four.

Du four à la bouteille

La plupart des bouteilles sont soufflées en quelques secondes, à partir de verre en fusion, par de puissantes machines automatiques. Le verre fondu tombe d'abord dans un moule, puis il est projeté sur les parois de ce moule grâce à une injection d'air sous pression. Après le soufflage, les bouteilles sont refroidies lentement pour éviter qu'une contraction inégale provoque des tensions dans le verre.

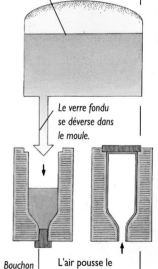

Le verre fondu se déverse dans le moule.

Bouchon

L'air pousse le verre contre les parois du moule.

Moulage d'une bouteille

Pour fabriquer une bouteille à la main, on fixe un moule métallique autour d'une masse de verre fondu appelée paraison. Le verrier fait gonfler la paraison en soufflant dans la canne. Sous la pression, le verre épouse la forme du moule.

| 1955-540 g | 1965-456 g | 1975-340 g | 1985-242 g |

Modification des formes

Ces quatre bouteilles de lait typiquement anglaises ont chacune la même contenance, mais la plus récente pèse moins de la moitié de la plus ancienne. En diminuant le poids des récipients, l'avancée technique réduit le coût du transport.

Hache de l'âge
de pierre

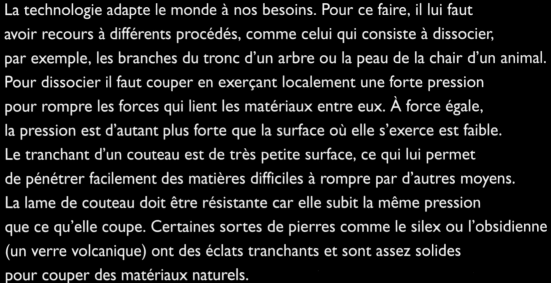

La technologie adapte le monde à nos besoins. Pour ce faire, il lui faut avoir recours à différents procédés, comme celui qui consiste à dissocier, par exemple, les branches du tronc d'un arbre ou la peau de la chair d'un animal. Pour dissocier il faut couper en exerçant localement une forte pression pour rompre les forces qui lient les matériaux entre eux. À force égale, la pression est d'autant plus forte que la surface où elle s'exerce est faible. Le tranchant d'un couteau est de très petite surface, ce qui lui permet de pénétrer facilement des matières difficiles à rompre par d'autres moyens. La lame de couteau doit être résistante car elle subit la même pression que ce qu'elle coupe. Certaines sortes de pierres comme le silex ou l'obsidienne (un verre volcanique) ont des éclats tranchants et sont assez solides pour couper des matériaux naturels.

Hache de l'âge de pierre

Avant la découverte du métal, les hommes travaillaient avec ce qu'ils trouvaient autour d'eux. Pour couper et tailler, ils utilisaient le silex, une pierre aussi dure que le verre. Celui-là se fend aisément en produisant des bords coupants.

PETITE HISTOIRE DES OUTILS

Cette hache (à gauche), datant d'il y a 20 000 ans, provient d'un rognon de silex fragmenté par la frappe d'une autre pierre. Un écaillage améliore le tranchant des lames ainsi débitées. Ce type d'outil en pierre servit pendant plusieurs milliers d'années. Mais les métaux donnent de meilleurs outils, qui allient la solidité à la dureté (p. 12-13).

Machine à scier

Le mouvement de va-et-vient de la scie déchire les fibres de bois et les arrache tout en évacuant les déchets de la zone de travail. Le sciage est un travail particulièrement lent et difficile.

Cette machine d'exploitation du bois, qui date du XIXe siècle, utilise simultanément la force des jambes et celle des bras pour accroître le rendement.

Une machine-outil

Le tour est un des outils de base de la mécanique. Cette technique d'usinage consiste à faire tourner une pièce, ici de laiton, sur son axe. L'outil de coupe, fixé sur un chariot mobile, est guidé avec précision. Les machines de ce genre, lourdes et fixes, sont appelées machines-outils.

Arrivée du fluide de refroidissement

Le volant d'inertie régularise la rotation.

Le mandrin tient la pièce.

Tige en laiton usinée

Outil de coupe

Tronçonneuse

C'est un moteur à explosion qui fait tourner la tronçonneuse. La chaîne est munie de dents en acier (p. 14) spécial, qui gardent leur mordant malgré l'échauffement.

Avant l'invention de telles machines, il fallait plusieurs personnes et quelques heures pour effectuer l'abattage d'un grand arbre. Aujourd'hui c'est devenu une simple affaire de minutes.

Les machines-outils à commande numérique débitent des milliers de pièces de précision par heure (p. 55).

La ferblanterie

Malgré leur résistance, les métaux se travaillent facilement à la main. Contrairement au bois, ils ne sont pas veinés, donc se coupent proprement et ils conservent leur forme lorsqu'on les plie. La tôle de fer doux se travaille très facilement. Recouvert d'étain pour empêcher la rouille, le fer prend le nom de fer-blanc. Principalement utilisé pour fabriquer des boîtes de conserve, il sert aussi pour confectionner des ustensiles ménagers. Les pièces de mesure à liquide (p. 12) sont découpées à la cisaille (ciseaux spéciaux à effet de levier plus important). Un léger martelage aplanit les déformations.

Base

Poignée

Corps de la mesure en fer blanc

Façonnage par pliage

Ce ferblantier plie à la pince le fer-blanc pour confectionner un emporte-pièce. Le pliage rigidifie le métal qui ne se déforme pas à l'utilisation. L'objet garde l'empreinte du savoir-faire minutieux des artisans, pour le plus grand plaisir de ceux qui apprécient les objets « faits main ».

L'emporte-pièce fini

Les pinces servent à mettre en forme le métal.

Trajet du liquide de refroidissement

Tube articulé permettant de diriger précisément le liquide de refroidissement

Chariot mobile porte-outil

Écrou de maintien du porte-outil

Rail de guidage longitudinal du porte-outil

Cet artisan marocain fabrique des éléments décoratifs à partir d'une pièce de bois maintenue entre deux pivots et tournée au pied, ce qui laisse les mains libres pour tenir l'outil de coupe.

Tournage du bois au Maroc

Des tours rudimentaires, actionnés par une pédale tirant sur une corde enroulée autour du bois, ont servi depuis des milliers d'années. Les tours modernes sont des instruments de précision. La pièce est maintenue dans un mandrin tournant, l'outil est fermement tenu sur un chariot mobile, guidé sur des rails ; ainsi, le travail est précis et reproductible. Cependant, les objets produits grâce à un tour simple gardent un charme particulier.

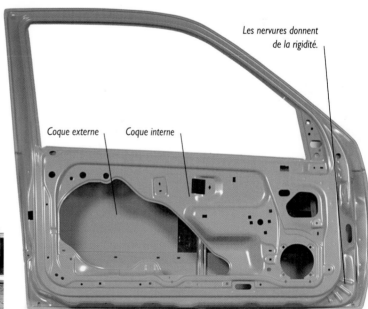

Les nervures donnent de la rigidité.

Coque externe   Coque interne

Après traitement de surface, les tôles sont prêtes à recevoir les accessoires.

Tôlerie automobile

La production de voitures (p. 42-43) s'effectue au moyen de machines capables de fabriquer, en grande série et en un minimum d'étapes, des pièces identiques. Les tôles sont compressées entre deux pièces (les matrices) reproduisant la forme voulue. Les parties trouées – comme ici la fenêtre – sont découpées dans le même temps par poinçonnage. Les perforatrices à papier utilisent ce principe.

Sans les métaux, le monde technique moderne n'aurait pas connu un tel développement. Les métaux allient d'incomparables qualités de solidité, de dureté et de rigidité tout en restant faciles à couper et à mettre en forme. L'utilisation du métal a révolutionné l'histoire de la chasse et de l'agriculture (p. 44-45). Elle a également joué un rôle déterminant dans l'essor des transports : depuis la construction des voies ferrées, des navires à coque en acier jusqu'à l'emploi, en aérospatiale, de métaux légers et résistants à de très hautes températures, comme le titane.

Arme mortelle

Ce fer de lance témoigne de l'art avec lequel les premiers forgerons façonnaient un fer contenant une certaine proportion d'impuretés, pour lui conférer une forme idéale : à la fois coupante, dure et incassable.

Lance saxonne (400-500 ap. J.-C.)

Sabre japonais

Les nobles guerriers japonais, les samouraïs, exigeaient les armes les meilleures. Pour fabriquer une lame à la fois coupante et solide par sa flexibilité, on recouvre d'une mince couche d'acier très dur, riche en carbone, le corps du sabre qui est constitué d'un acier plus souple, pauvre en carbone.

Katana du XVIIᵉ siècle

Les métaux et l'énergie électrique

Sans les propriétés électriques des métaux, l'électricité et l'électronique n'auraient jamais pu voir le jour. Ainsi, le filament en tungstène de nos ampoules fournit mille heures de lumière sans se rompre.

Aluminium

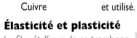

Cuivre

Le cuivre fut le premier métal découvert et utilisé.

Zinc

Les métaux courants

Les métaux commencèrent à être extraits des minerais (roches riches en métal) il y a environ 6 000 ans, après la découverte d'un procédé appelé extraction par fusion. Le fer est le plus communément utilisé, sous forme d'acier. L'aluminium est le plus abondant, mais l'extraction de son minerai nécessite de

Fer

grandes dépenses en électricité. Le zinc est un composant de nombreux alliages (p. 14). Mou et flexible, le plomb ne se corrode pas. L'étain sert le plus souvent à protéger le fer doux (p. 11) pour en faire du fer-blanc.

Plomb

Mesure en fer-blanc

Les métaux dans l'histoire

Le cuivre natif (petits morceaux de métal pur incrustés dans les roches) fut probablement le premier métal utilisé, il y a environ 8 000 ans. Les métaux précieux comme l'or de cette mine japonaise attisaient par leur beauté presque magique la convoitise des riches et des puissants.

Élasticité et plasticité

Le fil métallique de ce trombone est fin, pourtant il ne se casse pas facilement. Lorsqu'il est très légèrement tordu, il reprend sa forme initiale : c'est une illustration de l'élasticité du métal. Si on le tord davantage, il garde sa nouvelle forme : nous avons quitté le domaine élastique pour le domaine plastique.

Dans un métal « parfait » (pour les physiciens et non pour les métallurgistes) les atomes se disposeraient en rangs ordonnés, sans trous ni ruptures dans la structure.

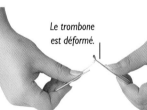

Le trombone est déformé.

1 Torsion

Si le trombone est faiblement plié, les atomes reviennent à leur place d'origine. Si la contrainte est plus forte, ils glissent les uns sur les autres et ne peuvent plus revenir à leur position initiale.

2 Rupture

Les défauts dans l'arrangement des atomes d'un métal, appelés dislocations (p. 15), permettent à ces atomes de bouger et d'absorber l'énergie libérée par le pliage du métal.

Le métal est devenu cassant.

Sans ces dislocations, le métal se casserait au pliage. Des changements répétés enchevêtrent les dislocations jusqu'à les immobiliser. Le métal devient alors plus dur à plier et se rompt.

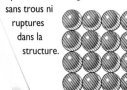

Structure intime des métaux

Il s'agit de l'assemblage irrégulier de minuscules cristaux contenant des impuretés et des défauts, lesquels facilitent les alliages (p. 14).

Essai de résistance

Des pièces de forme standardisée, les éprouvettes, servent à effectuer des tests de résistance à la traction, à la compression, ou à la flexion.

On exerce une force croissante jusqu'à la rupture.

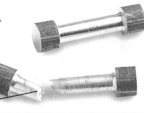

Bloc de fer impur

Les couleurs sont produites par une lumière polarisée.

Surface polie agrandie 60 fois

Le fer forgé

Le fer qui sort directement du haut fourneau est appelé fonte. Sa richesse en carbone et en impuretés le rend cassant. Avant l'apparition des techniques d'affinage à grande échelle qui permettent d'obtenir un acier résistant avec moins de carbone, la fonte était corroyée pour donner le fer forgé. Le corroyage consiste à ajouter des matières, comme l'oxyde de fer, au fer fondu et à le marteler pour évacuer les impuretés.

Fer forgé, débarrassé de ses impuretés

Le fer forgé n'est pas cassant et résiste bien à la tension (p. 20-21). Le forgeron peut encore améliorer ce fer en le battant ; de cette façon, il étire les grains dans une bonne direction et les rend résistants aux contraintes.

Structure de la fonte vue au microscope

La fonte résiste à l'usure mais sa teneur en carbone la rend cassante.

Manomètre : appareil mesurant la pression exercée

La matrice située à la tête du marteau modèle le dessus de la pièce.

Le métal repose dans une matrice creuse qui modèle le dessous de la pièce. Une jauge mesure la largeur de l'empreinte laissée par la machine de test.

Une bille est enfoncée dans le métal à tester.

Test de Brinell

Certains métaux sont plus durs que d'autres. La dureté d'un métal représente sa résistance à une tentative de déformation. Le plomb, par exemple, est si mou qu'on peut le marquer à l'ongle, alors que certains aciers spéciaux sont si durs qu'ils sont capables de couper l'acier ordinaire comme du beurre. Cette machine, construite sur le modèle que le métallurgiste suédois Johann August Brinell (1849-1925) inventa en 1900, mesure précisément la dureté du métal.

Vis de positionnement de l'échantillon

Mesure de l'empreinte

L'empreinte faite par la machine de test est mesurée avec une jauge et convertie en dureté Brinell (échelle de dureté). Depuis peu, on se réfère aussi au test American Rockwell, dont le principe de base est identique.

Marteau-pilon

Le marteau-pilon façonne des pièces soumises à de gros efforts, tels les vilebrequins de moteurs. Le métal est d'abord frappé jusqu'à l'obtention d'une forme grossière, puis dirigé dans une autre partie, où il continue d'être forgé. Une fois refroidie, la pièce est placée entre les matrices d'une presse pour être emboutie et acquérir sa forme définitive.

Sortie des gaz de combustion

Chargement du minerai de fer, du coke et de la chaux dans le fourneau

Le haut fourneau

Un minerai est une combinaison chimique de métal et d'éléments non métalliques comme l'oxygène ou le soufre. Pour se débarrasser des éléments indésirables, on chauffe le minerai avec des additifs qui se combinent aux impuretés. Les oxydes de fer, par exemple, sont réduits (séparation de l'oxygène et du fer) dans une combustion avec du coke (dérivé de la houille). Un ajout de chaux contribue à fluidifier les impuretés pour les séparer du fer fondu.

À haute température, la combustion du coke mélangé au minerai libère du fer en fusion.

Entrée d'air chaud

Le laitier (les impuretés) flotte au-dessus du fer.

Le fer chauffé à blanc est évacué vers une nouvelle étape de purification.

Il existe plus de trente métaux d'usage courant. Ceux qui sont bon marché sont largement utilisés ; les plus coûteux restent recherchés pour leurs propriétés. L'argent, par exemple, est l'ingrédient clé des films photographiques. Le titane, choisi dans l'aéronautique pour ses qualités de légèreté et de résistance, entre aussi dans la composition des peintures blanches (p. 50-51). L'aluminium, apparu au siècle dernier, sert d'emballage de boissons. De nombreux métaux se comportent mieux combinés à d'autres éléments, cela optimise leurs propriétés en leur conférant une plus haute résistance ou un meilleur moulage (p. 16). L'alliage le plus employé est l'acier : il s'agit de fer à faible teneur en carbone qui contient d'autres métaux, dont le chrome, qui l'empêche de s'oxyder, tandis que le manganèse accroît sa dureté. Une plus forte teneur en carbone produit de la fonte (p. 13).

Buste romain en bronze

Étain

Cuivre

Coupe agrandie de bronze

Le bronze est très apprécié en sculpture pour sa belle couleur et sa résistance à la corrosion.

Une fois terminées, les languettes sont détachées de la bande support, puis les déchets sont recyclés.

Le plus vieil alliage
Le bronze fut probablement le premier alliage d'usage courant : les gisements de ses composants, cuivre et étain, sont souvent voisins dans la nature.

Languettes d'ouverture
Cette série de languettes illustre la fabrication de petites pièces estampées. Lorsque la feuille de métal est emboutie trop profondément ou trop vite, elle craque ; pour éviter cela, on la fait passer sous une série de presses qui ne repoussent le métal qu'à petites touches. On parvient ainsi à découper à grande vitesse et avec précision des formes complexes.

Chaque estampage modifie légèrement la pièce.

Languette d'ouverture terminée

Métal destiné au recyclage

Le couvercle est entaillé pour s'ouvrir suivant une découpe précise.

LA CANETTE EN ALUMINIUM
La canette en aluminium est une invention astucieuse. Le métal nécessaire à sa fabrication est relativement cher, mais il en faut peu pour façonner un grand volume. Actuellement on utilise 30 % de métal en moins pour usiner la même boîte qu'il y a 20 ans. Les consommateurs en apprécient la légèreté, les stylistes en exploitent la brillance. Le recyclage des canettes est organisé dans de nombreux pays (p. 62).

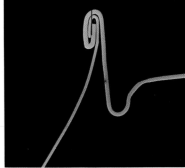

La Victoria Cross
La Victoria Cross est l'une des plus hautes décorations qu'un soldat britannique puisse recevoir, elle est moulée en bronze à canon. Cette médaille fut instituée par la reine Victoria en 1856. Elle était, à l'origine, frappée dans le bronze des canons pris par les Anglais aux Russes lors de la bataille de Sébastopol (1854-1855).

Un joint flexible et étanche évite les fuites.

Le couvercle est ajouté après le remplissage.

Corps de la canette

La paroi est fine pour économiser le métal.

Enroulement des bords du corps et du couvercle

Couvercle

La saillie centrale du couvercle est introduite dans la languette puis écrasée.

LIFT RING

PUSH BACK

Le métal à la base est épais pour résister à la pression.

Fabrication d'un couvercle de canette
La saillie du centre s'ajuste dans l'œillet de la languette et fait office de rivet après avoir été écrasée.

Fabrication du corps
Il faut d'abord emboutir un disque de métal épais pour former le fond de la future canette ; puis étirer par un second emboutissage

l'extérieur de ce disque jusqu'à former une paroi très fine. Le métal du fond doit rester suffisamment épais pour résister à la pression des boissons gazeuses.

Fixation du couvercle
Après avoir été rempli, le corps de la canette reçoit son couvercle et va dans une machine qui relie les deux pièces en enroulant leurs bords.

Dislocation | *Un atome peut aller dans le trou.*

Les atomes se déplacent pour relâcher la tension.

Le métal devient cassant.

Une dislocation

Les cristaux métalliques ne sont pas parfaits. Lors du refroidissement, la cristallisation piège les atomes dans de mauvaises positions, ce qui crée des lacunes et des défauts, appelés dislocations.

Des défauts utiles

Les dislocations permettent aux atomes de se mouvoir et au métal de s'étirer sans se casser sous la contrainte. Le mouvement des atomes déplace les dislocations dans les cristaux.

Efforts répétés

Si le métal subit des contraintes constantes, un grand nombre de dislocations se regroupent ou se bloquent mutuellement : le métal devient alors cassant.

Ce nouvel alliage ne rouille pas : au contact de l'oxygène, le chrome forme un film protecteur.

Couverts en acier inoxydable

L'acier inoxydable fut inventé en 1913 par le métallurgiste anglais Harry Brealey (1871-1948), qui fabriqua un acier contenant 13 % de chrome.

Couverts en acier inoxydable

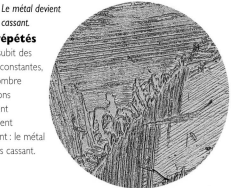

L'alliage titane-aluminium possède un point de fusion inférieur à celui des deux métaux.

Le meilleur des deux

La réaction des métaux à l'intérieur des alliages est parfois imprévisible. Cet alliage titane-aluminium, par exemple (agrandi ici environ 50 fois), présente à la fois une dureté proche de celle du titane et la légèreté de l'aluminium.

Cette pale en titane possède un noyau à structure en nid d'abeilles pour l'alléger.

Le bleu marque les zones subissant les plus faibles contraintes.

En rouge : les zones les plus contraintes

En jaune : les zones à contraintes moyennes

En vert : les zones à contraintes faibles

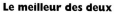

Les métaux modernes autorisent la construction de structures légères capables de résister aux efforts prévus et aux imprévus survenant par exemple lors de l'aspiration accidentelle d'un oiseau dans le réacteur.

Analyse d'efforts

Cette image, obtenue par ordinateur, permet de visualiser les forces exercées sur la turbine d'un réacteur d'avion lors du décollage ; c'est le moment où chaque réacteur produit la plus forte poussée (équivalente à plus de 40 tonnes) et subit les plus grandes tensions. Les couleurs simulent une échelle de ces tensions, ce qui permet aux ingénieurs de tester le moteur et ses composants avant de poursuivre leur fabrication, et avant leur mise en fonction.

Une pale de turbine

Au décollage, l'effort exercé sur le métal est considérable. Pour pallier l'éclatement du métal, les pales doivent être légères et résister aux hautes températures. Seul le titane est adéquat.

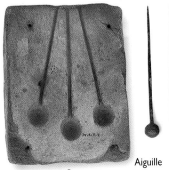

Moule de l'âge du bronze

Ce moule permettant de modeler simultanément trois aiguilles date de 3 000 ans. Les premiers fours étaient juste assez puissants pour fondre le bronze.

Aiguille

Comparés à d'autres matériaux, les métaux présentent l'avantage de se prêter à divers procédés de transformation : suivant des techniques de modelage à froid ou à chaud, ou sous forme de liquide incandescent. Le façonnage du métal liquide et le moulage sont pratiqués depuis les premières découvertes des métaux. Le procédé le plus simple, et le moins précis, est la fonte au sable. Le plus coûteux est la fonte par injection : le métal en fusion est forcé à l'intérieur d'un moule métallique fermé pour obtenir des pièces plus précises. On effectue le moulage en creux suivant une ancienne technique appelée « à cire perdue », ou suivant son équivalent moderne, le procédé Shaw. Le métal peut aussi être écrasé entre des rouleaux, laminé, ou tréfilé (poussé au travers d'un tamis) pour obtenir des fils.

Moulage d'une cloche

La cloche est façonnée suivant la technique à cire perdue. La cire est recouverte d'une couche d'argile, puis chauffée. En fondant, elle laisse un creux, en forme de cloche, dans lequel on coule le bronze.

Une fonderie de cloches en Bavière

Immersion du modèle en cire dans une solution de réfractaires

Le procédé Shaw

Ce procédé est une amélioration moderne de la technique à cire perdue. Le modèle en cire est recouvert, par immersion ou aspersion, d'une solution de produits réfractaires et d'un liant ; après égouttage, on saupoudre à nouveau de matériau réfractaire. Ces deux opérations sont répétées plusieurs fois. Ensuite, on brûle et on sèche l'enrobage ; la cire fondue s'évacue, laissant un moule plus précis, plus léger et plus résistant qu'avec l'ancienne technique.

Fonte au sable

Les opérations de moulage ont lieu dans des ateliers appelés fonderies. Le moulage, comme dans la construction des châteaux de sable, utilise la propriété du sable humide, argileux ou non, de s'agglomérer et de rester en forme. Le sable, dont la température de fusion est supérieure à celle de nombreux métaux, n'est pas affecté par le fer fondu ou les alliages qui y sont déversés. Le métal, une fois solidifié, a pris la forme laissée en creux dans le sable.

Creuset

Le fer fondu est versé dans le moule.

Sable argileux humide

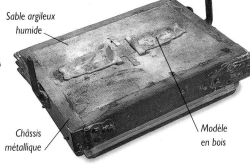

Châssis métallique

Modèle en bois

Moule

Modelage du sable

On place à l'intérieur du châssis un modèle en bois représentant la moitié de la pièce à obtenir, puis on l'entoure soigneusement de sable argileux, humide et tassé.

Lorsqu'on enlève le modèle, son empreinte est aussi précise que celle d'un pied sur une grève de sable mouillé. Le moule en sable est détruit pour dégager la pièce, mais le modèle en bois peut resservir de nombreuses fois.

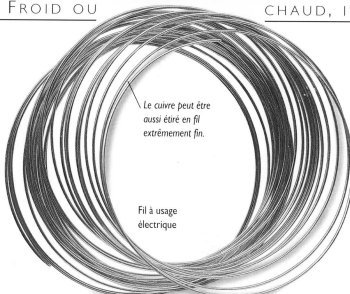

Le cuivre peut être aussi étiré en fil extrêmement fin.

Fil à usage électrique

Transport d'énergie électrique

Les fils de cuivre transmettent l'énergie électrique, nécessaire à l'éclairage, au chauffage, aux moteurs et à l'électronique. À l'intérieur du métal, les électrons (particules chargées électriquement) circulent facilement, ce qui fait des métaux, dont le cuivre, de bons conducteurs de l'électricité, avec peu de pertes, lors du transport par les câbles.

Les fils de cuivre sont confectionnés par tréfilage : on obtient le diamètre voulu suivant la taille du tamis.

Le dernier laminoir travaille sur du métal presque froid. Il parachève la forme et la dimension et inscrit le nom du fabricant.

Laminage à chaud

L'acier chauffé au rouge vif est assez mou pour être modelé. C'est de cette façon que le forgeron de village le travaillait pour façonner les fers des chevaux et diverses ferronneries. L'industrie utilise des trains de laminage. Le métal, en grandes plaques épaisses, passe entre des rouleaux qui l'écrasent et le plient ; chaque paire de rouleaux modifie progressivement l'épaisseur et les angles de pliage jusqu'à approcher le plus possible la forme finale. Il s'agit ici de poutrelles destinées à la construction (p. 53).

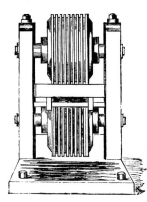

Laminoir à fil

Ce laminoir du XIXᵉ siècle servait à découper des tôles de fer en fines bandes avant de les diriger vers des filières, pour obtenir le fil nécessaire à la télégraphie et aux clôtures.

Boîtier de connecteur

Fonte par injection

Les métaux peuvent être moulés sous pression aussi facilement que les plastiques (p. 27). Le moule en acier, constitué d'une ou plusieurs parties, est fermement maintenu pendant qu'on y injecte

Jet de coulée après le démoulage

le métal fondu. Une fois le métal refroidi, le moule est ouvert, libérant une pièce finement ouvrée, quasiment prête à l'emploi, et ne nécessitant que très peu de travail de finition. Ces connecteurs pour ordinateurs ont été réalisés de cette manière.

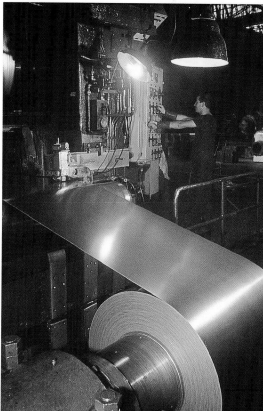

Trou de coulée du fer fondu

2 La coulée

Les deux moitiés du moule sont ensuite assemblées solidement. Le métal fondu est versé par une ouverture : le trou de coulée. Le métal expulse l'air du moule par un ou plusieurs canaux appelés évents.

Du métal est versé en excès pour tenir compte de sa contraction lors du refroidissement. Dans les fonderies modernes, ces opérations sont exécutées par des machines automatiques.

3 Le produit fini

Ce moule particulier est conçu pour fondre un bibelot en double exemplaire. Ces petites chouettes en fer ont été recouvertes d'une peinture noire et brillante qui empêche le fer de rouiller.

Laminage à froid

De nombreux objets sont confectionnés à partir de feuilles de métal (p. 14). D'aluminium ou d'acier, elles proviennent de tôles mesurant environ 5 mm d'épaisseur et un mètre de large. Le métal froid traverse une série de laminoirs, pesant chacun plusieurs tonnes. Ils réduisent l'épaisseur d'environ 0,1 mm pour l'acier, et 0,01 mm pour l'aluminium. La bande de métal s'allonge par étirage. En fin de parcours, elle passe par des rouleaux à plus de 90 km/h. Le laminage à froid donne un meilleur aspect que le laminage à chaud.

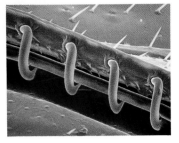

Attaches naturelles

Chez les abeilles, le bord de l'aile antérieure, ourlé de fins crochets, se fixe au bord de l'aile postérieure, ce qui assure en vol une solidarité et une synchronisation parfaites.

La plupart des produits de la technologie moderne proviennent de l'assemblage de pièces séparées. Il est difficile de procéder autrement, soit parce que ces éléments présentent des propriétés différentes, soit parce que l'ouvrage est trop important pour être réalisé d'une seule pièce (un pont), soit parce qu'il est trop sophistiqué (une montre). L'assemblage de pièces s'effectue selon cinq méthodes principales : la perforation et la fixation à l'aide de rivets, de boulons ou de fil à coudre ; la brasure ou le collage en utilisant une matière adhésive ; la soudure à chaud ou à froid ; le maintien par friction (clouer, visser, cheviller) ; l'emboîtement (par exemple à queue d'aronde) ou l'enchâssement d'éléments (comme dans le cas de jouets en plastique).

Clous du XIXe siècle pour la construction

Pointe tête-d'homme

Clou à tête plate pour la menuiserie

Les premiers clous

On se sert principalement des clous dans le bois. Une fois enfoncés entre les fibres, ils tiennent en place par simple friction. Les premiers clous étaient poinçonnés dans de la tôle d'acier.

Semence

Ancien clou à parquet

Cheville pour cloison creuse

Vis à bois à tête fraisée pour une finition nette

Clou à tête large

Crampillon

Rivet à tête fraisée

Rivet à tête ronde

Écrou

Rondelle

Frein

Cheville classique

Vis à métaux zinguée

Les pièces d'assemblage

La plupart des pièces utilisées pour l'assemblage sont les rivets, les vis et les différents types de clous. Ces derniers, tout comme les chevilles, tiennent dans les matériaux par friction. Ce sont ces mêmes phénomènes de friction qui empêchent également les vis et les écrous de se desserrer.

Si les écrous et les vis sont soumis à des vibrations, on augmente la friction par l'ajout de rondelles éventails ou de pièces en plastique. Le rivet, qui est le moins aisé à poser, reste le système le plus fiable pour unir deux pièces plates.

Vis à bois chromée

Vis à bois en acier bruni

Vis à bois en laiton

Platine d'ancrage pour charpente

Équerre

Liaison en tôle pour pièces de bois

Assemblage à queue d'aronde

Le bois le plus résistant est celui de l'arbre vivant ; toute coupe l'affaiblit. L'art du menuisier consiste à conserver le maximum de résistance au bois en respectant le sens de ses fibres et en réalisant des assemblages solides. L'assemblage à queue d'aronde de la face d'un tiroir est prévu pour résister à des tractions répétées. La colle à bois renforce la tenue des assemblages de menuiserie.

Côté du tiroir, en hêtre

Queue d'aronde

Face du tiroir, en merisier

Colle à bois d'origine animale

Colle époxy

Les colles

Les colles naturelles sont sensibles aux micro-organismes. Les colles modernes, résines époxy dérivées du pétrole, donnent une remarquable adhérence.

L'adhésion s'effectue selon un procédé chimique provoquant le passage de l'état liquide à l'état solide.

Ces points de fragilité peuvent être renforcés par la pose de rivets qui pincent le tissu.

Coutures renforcées

La couture assemble deux pièces de tissu par un fil. Cette liaison solide présente toutefois des faiblesses aux tractions dans les angles.

Le rivetage

Un rivet est une pièce métallique qui ressemble à une vis à métaux, munie d'une tête mais sans filetage. On place le rivet dans un trou foré au travers des deux éléments à assembler, puis on écrase l'extrémité rectiligne pour former une deuxième tête. De nombreuses constructions métalliques d'importance (tour Eiffel, gares, ponts) sont assemblées par rivetage. Pour effectuer des assemblages plus légers, on se sert de rivets pop.

Mise en place du rivet pop

Le rivet pop est un rivet creux traversé par une tige à tête. Cette tige est enfoncée dans l'extrémité d'un outil qui peut être une pince à riveter ou un système à pantographe (ci-contre).

Une tige d'acier traverse le rivet.

Le rivet est introduit dans un trou traversant deux pièces.

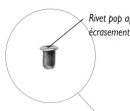

Rivet pop après écrasement

2 Fixation du rivet

Quand la poignée du système à pantographe est poussée vers le bas, la tête du rivet est appliquée sur la tôle et la tige est tirée. La tête de cette tige évase la partie arrière du rivet sur la surface intérieure de la tôle. La tige se rompt après l'écrasement total du rivet en faisant un petit « pop ».

Le pantographe poussé à fond

3 L'assemblage fini

L'utilisation du rivet pop assure une finition parfaite, le trou étant bouché par la tête, et la tige restant à l'intérieur.

L'extérieur du rivet pop

Cadre de vélo

On soude les tubes d'un cadre de vélo actuel sous atmosphère de gaz inerte.

Soudure à l'arc sous argon

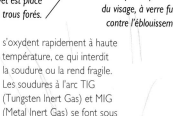

Une poussée sur le pantographe agrippe la tige et exerce une forte traction sur elle.

Le rivet est placé dans les trous forés.

Tenue de sécurité

La soudure est souvent faite au chalumeau avec un mélange oxygène-acétylène. La lumière aveuglante, la chaleur intense, les projections d'étincelles et de métal fondu exigent une protection pour les yeux et le port d'une tenue ininflammable. La soudure à l'arc électrique, moins contraignante, nécessite seulement un masque de protection.

Soudure autogène

La soudure autogène s'effectue avec un chalumeau ou un arc électrique. Elle consiste à fondre le métal des deux pièces à assembler sur leur jonction, avec un apport supplémentaire de métal pour renforcer la soudure. Certains métaux s'oxydent rapidement à haute température, ce qui interdit la soudure ou la rend fragile. Les soudures à l'arc TIG (Tungsten Inert Gas) et MIG (Metal Inert Gas) se font sous flux de gaz inerte, souvent de l'argon, pour empêcher le contact avec l'oxygène de l'air.

Masque de protection du visage, à verre fumé contre l'éblouissement

Alimentation en électricité et gaz inerte

L'arc électrique fond le métal.

Dans de très nombreux domaines, un matériau n'est utile que s'il est capable de résister aux forces qui lui sont appliquées. La résistance est ce qui permet d'opposer une force de réaction à la force exercée sur le matériau ; si celui-ci n'offre pas, ou plus, de résistance, l'état d'équilibre est brisé. Chaque matériau réagit de façon particulière aux forces de compression ou de traction qui sont exercées sur lui. Ces comportements s'expliquent en partie par les caractéristiques des liaisons (forces électriques internes qui maintiennent les liens entre les atomes) qui existent à l'intérieur même du matériau. Des contraintes trop fortes peuvent déformer ou même casser ces liaisons intimes et provoquer ainsi la rupture du matériau. La meilleure manière d'éviter de tels accidents consiste à choisir les matériaux les mieux adaptés aux contraintes, tensions, flexions ou compressions qu'ils sont susceptibles de rencontrer.

Corde en compression

Une corde ne peut être utilisée qu'en tension : en compression, elle ne peut transmettre aucune force et n'oppose pas de réaction.

Une corde résiste à la tension.

Corde en tension

Corde, chaîne et câble en tension sont utilisés comme éléments de construction. Mais on a déjà vu des ponts suspendus (p. 22) s'effondrer à cause d'une tempête : le vent soulevait le tablier du pont, dès lors les câbles ne pouvaient plus exercer aucune réaction et la structure s'écroulait.

Une pile de briques résiste à la compression.

Briques en traction

Une pile de briques ne résiste pas à la traction : celles-ci se séparent. Il en est de même pour les petites particules maintenues par des forces faibles, qui constituent la brique.

On n'emploie ni briques ni ciment pour la construction de structures qui travaillent en traction.

Le ciment qui assure le collage des briques répartit les forces de pression.

Briques en compression

Une pile de briques oppose de grandes forces de réaction à la compression. Le toit et les planchers d'une maison appuient sur les murs. Les différentes poussées de l'ensemble forment une structure solide et équilibrée.

Distributeur automatique de grains de plomb

Le poids du seau tire le levier vers le bas.

On place l'éprouvette de ciment entre les griffes de la machine.

Le ciment testé en traction

Les ingénieurs disposent de listes répertoriant les matériaux et leurs propriétés mécaniques. Quand un nouveau matériau est conçu, ses qualités, en particulier sa résistance, sont testées par rapport aux matériaux standard. Cette machine, employée au XIXe siècle, mesure la limite de rupture en tension d'un échantillon de ciment, en augmentant progressivement la masse qui exerce la force de traction.

Le seau recueille les grains de plomb qui augmentent la force de traction.

L'échantillon

Tous les échantillons sont préparés suivant un protocole bien précis : quantité d'eau de gâchage, moulage, température et durée de séchage. Les éprouvettes de ciment utilisées par cette machine mesurent 8 cm de long et 2,5 cm de large au niveau de l'étranglement central. L'échantillon est fixé entre les griffes de la machine tandis qu'un distributeur automatique remplit le seau de grains de plomb.

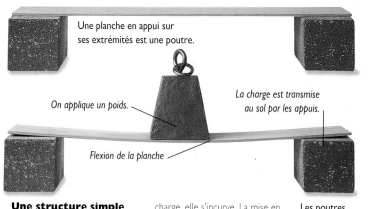

Une planche en appui sur ses extrémités est une poutre.

On applique un poids.

La charge est transmise au sol par les appuis.

Flexion de la planche

À l'intérieur d'un arc, les pierres taillées en courbe s'appellent des voussoirs.

Le poids de l'arc est également réparti sur les deux piliers.

Une structure simple

Une poutre (pièce rigide en appui sur ses extrémités) est une structure simple. Lorsqu'on la charge, elle s'incurve. La mise en tension du dessous de la poutre crée la force de réaction qui va équilibrer la poutre en charge.

Les poutres fléchissent moins en acier qu'en bois.

L'arc est soumis à une compression constante.

Un arc harmonieux

Pour un matériau tel que la pierre, l'arc est la meilleure structure capable d'enjamber un vide (p. 22). Sa courbe et la forme des pierres répartissent de manière équilibrée les forces d'action et de réaction.

Le principe du vélo

Le vélo est le moyen de transport le plus économique quant à l'énergie dépensée au kilomètre. Il doit son efficacité au couple de forces qui s'exerce au pédalier : un pied pousse pendant que l'autre tire. Les pédales entraînent la chaîne mise en tension qui fait tourner la roue arrière. C'est en fait grâce à des forces résistantes, dites de frottement, que le vélo avance. Sur le verglas, ces forces sont trop faibles et la roue patine. Le cadre du vélo est constitué de tubes creux, plus résistants que des barres pleines. Un système à dérailleur (p. 33) facilite l'effort.

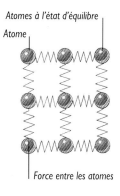

Atomes à l'état d'équilibre

Atome

Force entre les atomes

Matériau soumis à une tension : les forces internes tendent à rapprocher les atomes.

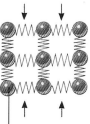

En compression, les forces internes maintiennent les atomes à distance.

Un ressort exerce une résistance qui tend à rétablir l'équilibre d'origine.

Structure atomique

Les matériaux solides gardent plus ou moins une forme identique grâce aux forces électriques qui lient les atomes entre eux. On peut représenter ces forces comme des ressorts pouvant être comprimés ou allongés.

Une machine à tester compacte suffit à mesurer la résistance du ciment.

2 Rupture de l'échantillon

On ajoute des grains de plomb jusqu'à la rupture de l'éprouvette. Le poids du seau et la largeur de l'échantillon à l'étranglement servent à calculer la limite de rupture en traction du matériau.

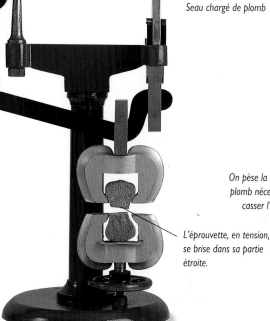

Seau chargé de plomb

On pèse la quantité de plomb nécessaire pour casser l'échantillon.

L'éprouvette, en tension, se brise dans sa partie étroite.

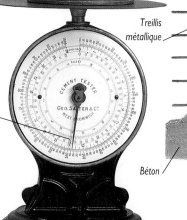

Treillis métallique

Béton

Le béton armé allie les deux qualités.

Béton armé

Le treillis métallique ploie en compression mais résiste en extension, tandis que le béton résiste bien à la compression.

La construction des bâtiments et ouvrages d'art (ponts, tunnels ou barrages) fait appel à des techniques spécialisées. Architectes et constructeurs doivent connaître tous les matériaux et effectuer des calculs complexes car ils n'ont aucun droit à l'erreur. Un bâtiment moderne doit garantir une bonne isolation climatique et phonique, fournir un cadre agréable à ses occupants, présenter des qualités esthétiques, malgré les changements de mode, et bien sûr être solide. Autrefois, les bâtisseurs disposaient d'un choix limité de matériaux. Les techniques employées et le style architectural évoluaient lentement. On leur doit pourtant de remarquables édifices comme les grandes cathédrales européennes. De nos jours, les constructions sont beaucoup plus complexes et doivent intégrer dans leur structure des services de contrôle automatique concernant la communication et l'environnement.

Le pont du Gard
Cet aqueduc, long de 273 mètres, date du Ier siècle ap. J.-C. Il transportait de l'eau de source jusqu'à Nîmes. La pierre était le seul matériau disponible et l'arc (p. 21) la seule structure connue pour enjamber une rivière. Le Gard passe sous une arche de 24,50 m d'ouverture. Les arcades sont plus légères mais aussi solides qu'un mur plein.

L'ancrage d'un pont suspendu
Les câbles porteurs soutiennent, au moyen des suspentes, le tablier du pont. Soumis à une très forte tension, ils doivent être fermement ancrés dans du béton ou de la roche pour éviter l'arrachement. Les câbles coulissent sur les poulies des pylônes en leur appliquant une grande partie de la charge sans les tirer.

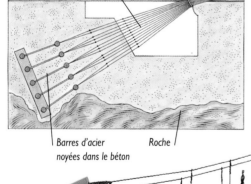

Câble séparé en faisceaux Câble

Barres d'acier noyées dans le béton Roche

Une arène pour les gladiateurs
Le Colisée fut édifié au Ier siècle à Rome pour que s'y déroulent les combats des gladiateurs.

L'amphithéâtre est fait de pierres, de briques et d'un ciment naturel que les Romains furent les premiers à utiliser massivement. La structure de ce monument imposant, capable d'accueillir quelque 84 000 spectateurs dans un périmètre de 524 m, était allégée par une multitude d'arcades.

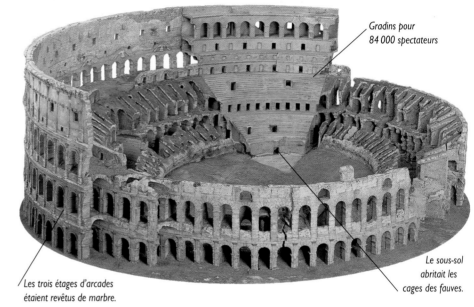

Gradins pour 84 000 spectateurs

Le sous-sol abritait les cages des fauves.

Les trois étages d'arcades étaient revêtus de marbre.

Le pont suspendu
La résistance en tension de l'acier permet l'édification de voies de circulation suspendues à des câbles tendus, s'appuyant sur des pylônes. Grâce à cette structure, en forme d'arc inversé, on a réussi à construire des ponts pouvant atteindre deux kilomètres de long. Il y a des milliers d'années, les hommes se servaient déjà de ponts suspendus en lianes pour franchir des torrents. Le pont suspendu militaire, dont la maquette est présentée ci-dessous, date de 1900 ; il n'a qu'une portée de soixante mètres, les pylônes en bois ne pouvant supporter la charge d'une chaussée plus longue.

La légèreté du pont permettait un montage rapide pour des usages militaires.

Pylône en bois

Les suspentes relient le tablier aux câbles porteurs.

Massif d'ancrage

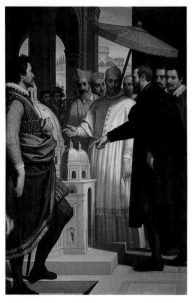

Le tunnel sous la Manche

La moitié britannique des cinquante kilomètres de tunnel qui relie la France à l'Angleterre a été forée par cet énorme tunnelier, véritable triomphe de l'ingénierie. Ce « monstre » de 250 mètres de long progressait de 75 mètres par jour. Il rencontra son équivalent français, à 100 mètres au-dessous du niveau de la mer, en juin 1991.

Les systèmes de guidage par laser (p. 58-59) ont permis que le forage s'effectue rapidement et avec une grande précision.

Le tunnelier, avec sa traîne, par son gigantisme et sa complexité, mériterait le nom d'usine-outil.

Un génie

Le peintre et sculpteur italien Michel-Ange (1475-1564) compta parmi les architectes de renom qui édifièrent la basilique Saint-Pierre de Rome.

La coupole fut réalisée selon les plans de Michel-Ange.

Grues permanentes pour l'entretien

Conduites en acier inoxydable

« Atrium » en verre

Escaliers

Conduites d'air conditionné et de rejets

Gratte-ciel new-yorkais

La hauteur d'un bâtiment en briques est limitée par ses capacités de résistance aux forces latérales exercées par le vent et les mouvements telluriques. En 1856, le métallurgiste Henry Bessemer (1813-1898) inventa un moyen économique de produire de l'acier. Ce qui bouleversa l'aménagement de l'espace urbain aux États-Unis. En effet, les charpentes d'acier autorisent la construction d'édifices de plus de cinquante étages. Le premier gratte-ciel fut élevé en 1885 à Chicago. Les ascenseurs et le téléphone facilitaient les communications à l'intérieur de tels bâtiments.

Le Lloyd's Building à Londres

L'architecte anglais Richard Rogers (né en 1933) acquit une notoriété immédiate avec l'édification du Centre Pompidou, achevé en 1977, à Paris. L'ossature, les conduites et les escaliers mécaniques, placés à l'extérieur libèrent l'espace intérieur des piliers et des colonnes. Il se servit du même principe en 1986 pour le Lloyd's Building dans la City de Londres. Les structures porteuses, à l'extérieur, ont dégagé un espace étonnant sur toute la hauteur du bâtiment. Malgré son aspect métallique, l'édifice est en béton.

Ascenseurs extérieurs

Les câbles glissent sur des poulies pour ne pas déséquilibrer le pylône.

Les câbles sont continus d'un ancrage à l'autre.

Chaque massif d'ancrage supporte la moitié de la tension des câbles.

Le tablier doit être rigide pour éviter des oscillations dangereuses.

Le pont s'appuie en grande partie sur les pylônes.

Depuis l'invention de la hache, l'homme a commencé à abattre les arbres. De nos jours, le bois est toujours l'un des matériaux les plus utilisés. Il sert pour les planchers, l'ameublement, le papier de ce livre, les coffrages où l'on coule le béton. Le bois est une sorte de matériau composite, constitué d'un ensemble de fibres de cellulose longues et résistantes (p. 28). La cellulose, substance blanche proche du sucre, est présente dans toutes les plantes. À l'intérieur des arbres, une matière brune, appelée lignine, renforce les fibres et donne sa couleur au bois. La décomposition naturelle du bois fournit les éléments nécessaires (dioxyde de carbone) à la croissance des nouveaux arbres. À poids égal, ce matériau extraordinaire possède une résistance à la flexion trois fois supérieure à celle de l'acier. Il existe des centaines d'essences différentes, chacune correspondant à un usage particulier.

En 1500, on taillait les poutres avec une hache.

Travail du bois au Moyen Âge
L'exploitation du bois remonte à l'âge de pierre mais le développement des outils propres au travail du bois d'œuvre a eu lieu tardivement.

Le flottage
La Finlande, la Suède et le Canada possèdent de vastes forêts de pins qui approvisionnent les marchés du monde entier en bois d'œuvre et en papier. La technique traditionnelle du flottage des billes sur un cours d'eau jusqu'à la mer reste le moyen de transport le plus économique.

Le rabot
On façonne le bois à la main en se servant d'un rabot. Il faut raboter dans le sens du fil du bois afin de séparer les fibres sans les casser. L'angle de la lame et son tranchant sont réglés pour faire disparaître, sans effort, les inégalités du bois. Le rabot sert à aplanir les surfaces et à rectifier les dimensions d'une pièce.

Certains arbres, comme l'acajou, ont été coupés à un rythme trop rapide, empêchant le renouvellement de l'espèce et mettant sa survie en danger.

Chêne : ameublement et construction

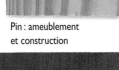

Pin : ameublement et construction

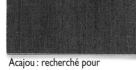

Acajou : recherché pour sa dureté et sa couleur

Ramin : jouets, menuiserie d'intérieur

Balsa : bois très léger de croissance rapide

Un lien de cuir fixe la lame au manche.

Manche en bois

Différents bois
Chaque bois possède des qualités propres qui le destinent à un usage plutôt qu'à un autre. Les essences tendres et peu onéreuses, comme le pin et l'épicéa, servent le plus souvent en bois d'œuvre. On les exploite généralement en grandes plantations en les renouvelant après chaque coupe. Ces conifères au feuillage persistant croissent vite, même dans les forêts sombres et froides des pays nordiques. Les bois durs proviennent d'arbres à croissance lente, implantés dans des contrées plus chaudes et plus éclairées. Plus résistants, de grain plus fin, ils sont plus coûteux.

Lame en métal

Un outil ancien
L'herminette est l'un des plus anciens outils de façonnage. Les Égyptiens de l'Antiquité s'en servaient déjà pour évider de grandes pièces de bois destinées aux coques de bateaux ou aux cercueils. Cet outil très efficace sert encore au Moyen-Orient.

L'utilisation de l'herminette
À mi-chemin entre la hache et le rabot, l'herminette peut à la fois entailler le bois puis peler sa surface en suivant le sens du fil jusqu'à obtenir un fini très lisse.

Les copeaux se détachent à chaque passage du rabot.

Système de blocage de la lame

Vis de réglage

26279.

LE TRAVAIL DU BOIS

Le bois résiste bien aux tensions et aux compressions (p. 20-21) appliquées dans le sens de ses fibres. Il est plus fragile aux contraintes lorsqu'elles s'exercent perpendiculairement à elles, car les liaisons entre les fibres sont faibles et le bois se fend facilement. Sensible à l'humidité, le bois peut gonfler et pourrir. Ces facteurs sont déterminants dans la conception des objets. La qualité d'un violon dépend de l'art avec lequel le luthier choisit, taille et assemble le bois pour en tirer une sonorité parfaite.

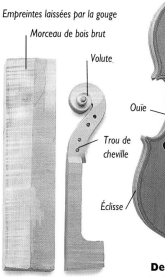

Bois non travaillé

Empreintes laissées par la gouge

Morceau de bois brut

Volute

Planche d'érable

Ouïe

Trou de cheville

Éclisse

Le corps du violon

Le luthier se sert de planches d'épicéa pour la table d'harmonie et d'un bois plus dur, l'érable, pour fabriquer le fond.

Afin de disposer d'une largeur suffisante, il colle, bord à bord, deux planches de même nature. Puis il les découpe avec une scie fine.

Le manche à volute

La pièce d'érable réservée au manche et à la volute doit être coupée puis sculptée à la main, avant d'être percée pour recevoir les chevilles d'accord en ébène.

Des formes galbées

Le luthier s'aide d'une gouge pour façonner le galbe de la table d'harmonie et du fond. Les éclisses (les côtés), formées à chaud par pressage, permettent d'assembler le fond à la table.

Gouge

Rabots miniatures

Des outils adaptés

Le luthier se sert d'outils précis adaptés à la finesse du travail. Ainsi, pour rectifier les marques laissées par la gouge, il utilise de minuscules rabots : le plus petit d'entre eux n'est pas plus gros qu'un ongle de pouce.

Mortaise de la traverse du dossier

Collage

Accoudoir

Collage

Tenon

Collage

Trou de cheville

Mortaise

Traverse latérale

Pied avant en sabre

Trou de cheville

Pied arrière

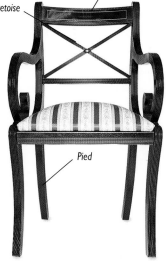

Traverse du dossier

Entretoise

Pied

Copie d'un fauteuil d'époque

Beaucoup de gens apprécient encore le mobilier en bois pour ses assemblages discrets et résistants. Aujourd'hui les fabricants de meubles bon marché consolident les assemblages avec de la colle (p. 18) et renforcent les collages avec des pièces métalliques, au mépris du savoir-faire minutieux qu'ébénistes et menuisiers ont perfectionné au fil des siècles.

L'assemblage de ce fauteuil anglais de style Regency, en bois sculpté, a été effectué suivant la technique des tenons et mortaises et du chevillage. Chaque partie saillante (le tenon) d'un élément vient s'encastrer dans un creux (la mortaise) taillé à l'intérieur de la pièce qui lui correspond. Des chevilles, petits cylindres en bois, fixent fermement entre les pieds les traverses avant et arrière.

Les chevilles permettent d'éviter les barreaux, ce qui donne à l'ensemble la légèreté caractéristique du style.

Solide mais élégant

Ce fauteuil aux lignes douces et sobres illustre le style anglais Regency (1811-1820). Son apparence de solidité tient au choix et à l'emploi des matériaux. Ses bras galbés sont faits de deux parties assemblées pour accorder le fil du bois aux contraintes ; ses pieds sont robustes et fermement chevillés.

Les plastiques naturels existent depuis des millions d'années, mais c'est vers 1850 que les chimistes réalisèrent les premiers plastiques artificiels. Tantôt rigides, tantôt souples, les plastiques sont parfois plus transparents que le verre, ou plus résistants que l'acier. La plupart d'entre eux se travaillent à chaud. On peut les étirer en fibres, les extruder en tubes, les écraser en feuilles ou les rendre mousseux. L'invention du celluloïd, en 1870, signa le début d'une nouvelle révolution dans le monde des matériaux de la vie quotidienne.

Les granulés sont colorés par des pigments.

Le plastique brut
Ces granulés alimentent une machine qui les fait d'abord fondre en un liquide sirupeux qui est ensuite injecté, en quelques secondes, dans un moule métallique (p. 38).

Les matériaux de ce type sont appelés thermoplastiques car ils s'amollissent sous l'action de la chaleur (« thermo » évoque la chaleur, et « plastique », le modelage).

Inclusion d'une araignée dans l'ambre
L'ambre est une résine de pin fossilisée. Ce liquide poisseux a englué l'araignée avant de durcir.

LE CELLULOÏD
Bien que très inflammable, le celluloïd entrait dans la composition des pellicules photographiques, ce qui contribua à l'avènement du cinéma.

Le gramophone
Ce lecteur de disques mécanique, ou gramophone, des années 20, est tout à fait évocateur des formidables inventions liées à l'apparition des plastiques. La caisse en bois, le tourne-disque et le pavillon acoustique conféraient à l'ensemble un poids important. Le disque est en gomme laque : résine naturelle renforcée par l'adjonction d'ardoise et de carbone. Ce plastique était fragile ; sa texture grossière ne permettait pas d'y creuser des sillons fins ; aussi, la durée des enregistrements était limitée et le son médiocre.

Réflecteur sonore

Aiguille métallique à usage unique
Disque en gomme laque
Frein
Pavillon acoustique
Boîte d'aiguilles de rechange
Caisse en bois avec un revêtement imitant le cuir
Manivelle pour remonter le mécanisme

Le disque noir
C'est en utilisant les premiers plastiques que l'ingénieur allemand Emile Berliner (1851-1921) inventa en 1887 le disque plat reproductible en série par moulage. Vers 1940, l'apparition du P. V. C, ou vinyle, de texture très fine, permit la gravure du microsillon qui garantissait un son meilleur et une durée d'écoute plus longue.

Le disque compact
Le disque audionumérique a été lancé commercialement au Japon en 1982. Le plastique servant à le fabriquer s'appelle le polycarbonate. Matière dure et transparente, il gaine et protège la feuille d'aluminium sur laquelle sont stockées des informations codées. Ces dernières se présentent comme de microscopiques cuvettes (les pits) gravées sur le métal. Un faisceau laser lit sept cent mille pits par seconde. Un système électronique les décode et reconstitue la musique.

DES EMPLOIS DU PLASTIQUE

Les plastiques sont des polymères (du grec *poly* « beaucoup », et *meros* « partie ») constitués de molécules simples assemblées comme les maillons d'une chaîne. Si la plupart des plastiques s'amollissent à la chaleur, certains sont, à l'inverse, thermodurcissables. Tel est le cas de la bakélite, qui fut brevetée en 1906 par le Belge Leo Baekeland (1863-1944).

Œil en plastique acrylique

Jouet d'enfant

Cet ours en peluche est composé de plastiques identiques à ceux qui servent à fabriquer des bouteilles d'eau ou des hublots d'avion. On obtient les fibres acryliques de sa fourrure douce en injectant le plastique au travers de trous minuscules. Puis on tisse ces fibres sur un support en toile.

L'ours en peluche est rembourré de fibre polyester.

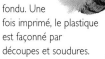

Sac en polyéthylène

On se sert d'un très long tube de polyéthylène que l'on obtient en soufflant de l'air dans du plastique fondu. Une fois imprimé, le plastique est façonné par découpes et soudures.

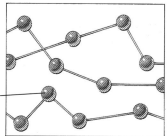

Chauffées, les molécules deviennent mobiles.

Le plastique devient alors un liquide pâteux.

Les polymères thermoplastiques

Ici, les chaînes de molécules s'enchevêtrent et forment une structure solide. Quand le matériau est chauffé, ces molécules sont libérées.

Anse en métal

Support en triacétate de cellulose

Film photographique

Le celluloïd est le premier support transparent que l'on put rouler dans le boîtier d'un appareil photo. Les pellicules actuelles, ininflammables, sont fabriquées en triacétate de cellulose.

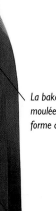

La bakélite peut être moulée selon une forme complexe.

La fourrure est en fibre acrylique.

Coussinet de la patte en velours de nylon

La bakélite est toujours très sombre.

Le moulage du plastique

Le moulage par injection est une technique commune. Le plastique fondu est injecté sous pression dans des moules métalliques fermés, ce qui garantit les bonnes dimensions du produit et permet d'en réaliser plusieurs à la fois.

Tétine de biberon

Les élastomères sont des plastiques élastiques. Le latex, produit de base du caoutchouc extrait de l'hévéa, sert par exemple pour les tétines.

Bouteille thermos en bakélite (années 20)

La bakélite fut le premier plastique thermodurcissant. La résine devient rigide en chauffant.

Les molécules se lient entre elles.

Moulage du canal par où le plastique a été injecté.

Ces deux parties d'une prise électrique s'emboîteront parfaitement.

Les plastiques thermodurcissants

La chaleur provoque des liaisons entre les chaînes de molécules et la solidification de la résine. D'autres polymères, comme la résine époxy, se solidifient par réaction chimique à température ambiante.

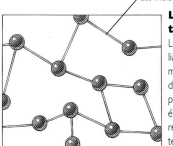

Le lit d'une route

Le polystyrène expansé (mousse obtenue par soufflage de minuscules bulles de gaz), apparu vers 1950, peut remplacer la pierraille des soubassements de route. Économique, on le pose rapidement grâce à sa légèreté et à sa découpe en parallélépipède.

On améliore souvent les matériaux en les combinant, les qualités d'un élément compensant les faiblesses de l'autre. On crée ainsi des composites excellents et peu onéreux. La combinaison la plus courante associe des fibres ou rubans – résistants à la tension mais non à la compression – et une matière (la matrice) qui assure la cohésion. D'autres composites sont basés sur le principe du sandwich, en alternant des couches de matériaux. Ainsi le bois (p. 24-25) est-il constitué de fibres de cellulose alignées et collées par la lignine ; à épaisseur équivalente, le contre-plaqué améliore considérablement la résistance de ces fibres en les croisant alternativement.

Gilet pare-balles

Ce soldat de l'ONU est revêtu d'un gilet fait d'un assemblage de fines toiles en Kevlar, fibre plastique cinq fois plus résistante que l'acier. Cette protection illustre la capacité d'un matériau composite à dissiper une énergie destructrice.

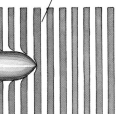

Toiles en Kevlar tissé

Balle

Comment stopper une balle

Quand une balle pénètre dans un empilement de toiles en Kevlar faiblement collées, celles-ci se déchirent sur une large surface. L'énergie de la balle, absorbée par le grand volume de toile, s'arrête dans le matériau.

Issu de la technique de combinaison de matériaux, le torchis, mélange de terre grasse et de paille, peut servir à couvrir une claie.

Treillis d'osier

Le torchis recouvre et consolide le treillis.

Le torchis

Les anciens combinaient des fibres naturelles avec de la terre ou du plâtre pour fabriquer des briques ou d'autres éléments de construction.

Raquette ancienne

Une raquette de tennis doit être à la fois légère et rigide. Si elle plie trop à la réception de la balle, le renvoi sera mou ; si elle est trop lourde, elle ralentira et fatiguera le joueur. Les premières raquettes étaient faites en lamelles de bois collées et mises en forme à la vapeur. Ce type de raquette était assez rigide mais plutôt lourd.

On améliore l'équilibre en remplissant la poignée de mousse de plastique

Cadre creux en fibre de carbone et Nylon

Raquette moderne

Les fibres de carbone pur, issues de fibres de cellulose transformées en charbon, sont plus rigides, à poids égal, que n'importe quel autre matériau. En les incorporant au Nylon, on obtient un matériau remarquable, notamment pour l'équipement sportif.

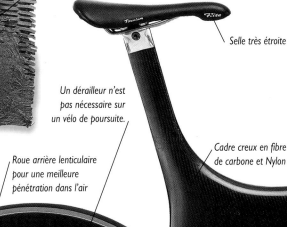

Selle très étroite

Un dérailleur n'est pas nécessaire sur un vélo de poursuite.

Cadre creux en fibre de carbone et Nylon

Roue arrière lenticulaire pour une meilleure pénétration dans l'air

Chaîne

Pédale et manivelle en alliage léger

MAVIC

Chaise en fibre de verre et plastique

Cette chaise de ligne fluide, datant des années 60, est réalisée dans un composite à base de fibre de verre. Pour parer la faible résistance de ces fibres à la compression, on les incorpore dans un plastique dur qui, de plus, donnera à l'objet une surface lisse et brillante. Ce plastique n'est pas particulièrement rigide en lui-même : c'est l'adjonction des fibres qui lui assure une grande solidité. L'alliance de ces deux matériaux, l'un fragile et l'autre manquant de fermeté, produit un composite rigide et difficilement cassable.

Protection en verre

Le verre feuilleté est un composite simple : une feuille de plastique résistant collée entre deux parois de verre. Le verre protège le plastique des coupures et le plastique empêche le verre d'éclater en cas de choc. Dans la plupart des avions modernes, on remplace le verre, trop lourd, par l'acrylique (p. 27).

Les avions de combat de la Seconde Guerre mondiale étaient équipés de vitres à l'épreuve des balles.

rd d'attaque
plastique
uilleté

Noyau en mousse de plastique

La structure en nid d'abeilles du bord de fuite réduit le poids.

Pale d'hélicoptère

Cette pale de rotor d'hélicoptère contient des composites de fibre de carbone et de fibre de verre. Sa densité est plus forte à l'extérieur où les contraintes sont importantes.

Le noyau en mousse et la portion en nid d'abeilles diminuent le poids de l'ensemble. Les problèmes de fatigue du métal, dus aux flexions continuelles qu'il subit (p. 12), sont surmontés grâce à ces composites.

Poignée de guidon

Repose-bras

La surface brillante ne contient pas de fibres.

Fêlure

La résine maintient les fibres entre elles et empêche l'effilochement.

Les fibres s'entrecroisent dans toutes les directions.

Les fibres composites

Incorporées au plastique, les fibres de verre ou de carbone forment un ensemble résistant qui se prête bien au moulage.

Les fêlures se heurtent à ces fibres qui dissipent les tensions à travers le matériau. C'est ce qui rend ce type de composite si solide.

Les pneus étroits réduisent les frictions.

Conçu pour la course, ce vélo n'a ni freins ni dérailleur, mais une excellente pénétration dans l'air.

Un vélo médaille d'or

C'est sur ce vélo que l'Anglais Chris Boardman gagna sa médaille d'or aux jeux Olympiques de Barcelone, en 1992. Les plastiques sont trop souples pour faire un bon vélo, mais le composite, à base de fibre de carbone, a permis de construire cette machine à la fois légère, rigide et aérodynamique. La structure monocoque moulée est un meilleur support qu'un cadre traditionnel en tubes de métal soudés.

Les évidements laissent passer l'air dans les virages.

Les graines de caroube pèsent environ le même poids.

La cosse contenant les graines

Graines en guise de poids

Dans l'Antiquité, la graine de caroube servait souvent d'unité de pesage pour les petites masses.

Or à 18 carats

L'or pur titre 24 carats.

Titre d'une alliance en or

Pour durcir l'or, on lui adjoint d'autres métaux. La teneur (le titre) en or s'exprime en carats.

Le système international définit les unités de base pour la mesure de toute grandeur mesurable : celle des longueurs, des masses, du temps, des phénomènes électriques, et même celle de la couleur (p. 50-51). Ce système international est nécessaire aux échanges commerciaux et scientifiques. La science de la mesure (métrologie) et la technologie progressent et s'enrichissent mutuellement. Depuis 100 ans, la précision des pièces mécaniques courantes atteint la dizaine de micromètre (0,01 millimètre). La surface d'un miroir de télescope peut être polie au centième de micromètre près (0,0001 millimètre). Les satellites artificiels procurent aux navigateurs aériens et maritimes une aide accrue à leur localisation. Grâce aux progrès de l'électronique, on sait mesurer des durées extrêmement courtes et l'on peut construire des horloges dont la marge d'erreur ne dépasse pas une seconde par siècle. Toutefois, des mesures anciennes sont encore en usage dans des secteurs particuliers, et le monde anglo-saxon utilise un système différent.

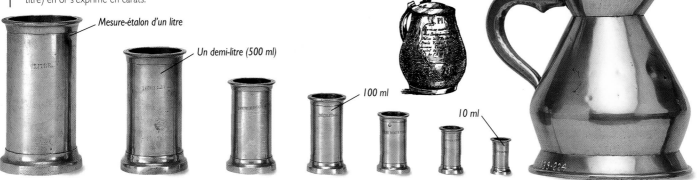

Mesure-étalon d'un litre

Un demi-litre (500 ml)

100 ml

10 ml

Système métrique

Le système métrique commença à s'établir pendant la Révolution française (la première définition du mètre remonte à avril 1795). Ce système remplaça par le mètre et le gramme les unités régionales de longueur et de masse en vigueur. Une unité distincte, le litre, fut définie comme le volume d'un kilogramme d'eau. Au XIXᵉ siècle, on utilisa les mesures-étalons, comme ci-dessus, pour contrôler les échanges commerciaux.

Le pouce cubique

Les Anglo-Saxons utilisent comme mesure de longueur le pouce, qui équivaut à 2,54 centimètres. Les arêtes de ce cube en laiton nickelé mesurent exactement un pouce. Le ministère du Commerce britannique l'utilisa en 1889 pour calculer la masse d'eau pure de ce volume (un pouce cubique contient environ 16,4 millilitres).

Boîte pour l'étalon du pouce cubique

Mesure anglaise de distillateur

Ce splendide pot en cuivre a été fabriqué en 1910 pour la vente d'alcool. Il fait partie d'une série allant du double

Cube d'un pouce (2,54 cm) de côté

gallon (9,092 litres) à la pinte (0,58626 litre). Le volume calibré s'arrête à l'étranglement. Le sceau de la ville de Londres, poinçonné sous le bec, certifie sa précision.

Marque du demi-yard

Le yard en bronze (1497)

Les Romains sont à l'origine du « système impérial ». Une partie de celui-ci est encore en usage en Grande-Bretagne et une version légèrement différente aux États-Unis. L'étalon de longueur est le yard (91,44 centimètres) qui est divisé en 3 pieds (30,48 centimètres), lui-même divisé en 12 pouces (2,54 centimètres). La précision de ce yard est approximative, comparée aux étalons modernes dont les longueurs sont définies au laser (p. 59).

Marque du pouce

Visée au soleil

L'observation de la Terre par les satellites artificiels a confirmé l'exactitude de la cartographie effectuée au sol. Le théodolite est l'outil principal des arpenteurs et des cartographes. À droite, ceux-ci l'utilisent pour cartographier une île de l'Arctique potentiellement riche en pétrole. Pour faciliter la visée d'un point distant de plusieurs kilomètres, un assistant renvoie de ce point la lumière du soleil vers le théodolite à l'aide d'un petit miroir.

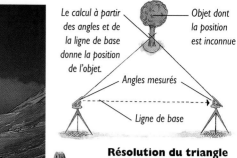

Le calcul à partir des angles et de la ligne de base donne la position de l'objet.

Objet dont la position est inconnue

Angles mesurés

Ligne de base

Résolution du triangle

Le théodolite est une petite lunette fixée sur une monture mesurant les angles horizontaux et verticaux. À l'aide de cet instrument, on peut calculer une distance inconnue à partir des angles mesurés, entre la ligne de base et le point à déterminer, aux deux extrémités de cette ligne de base.

Tube de la lunette

Objectif

Anneau de visée

Limbe vertical

Limbe horizontal

Trou de visée pour un alignement approché

Oculaire

Ancien instrument de l'arpenteur

Ce magnifique théodolite anglais servit à dresser des cartes au XVIIIe siècle. Établir une carte, c'est trouver les distances entre différents points. Les obstacles naturels empêchent souvent de procéder à des mesures directes.

Mais en s'appuyant sur les calculs obtenus au théodolite, on peut, à partir de deux points dont on connaît les positions, former la ligne de base, et en trouver un troisième, par la résolution du triangle. Une fois ce nouveau point déterminé, on établit une ligne de base qui permet de recommencer l'opération. Cette méthode s'appelle la triangulation. Le théodolite mesure aussi les angles verticaux pour déterminer les altitudes.

La vis de blocage maintient la direction de visée.

Fixation pour tripode

Pièce à mesurer

La douille se déplace de 0,5 mm par tour.

Graduations sur le boudin

Échelle de la douille

Touches

Un fuseau horaire

Chaque tranche de 15 degrés a une heure de plus que sa voisine à l'ouest.

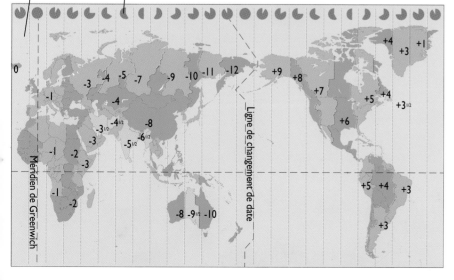

Le palmer

La mesure effectuée grâce à l'échelle gravée sur le boudin donne une valeur approchée (à 0,5 millimètre près) une deuxième échelle, sur la douille, affine cette mesure au centième de millimètre ; une troisième, sur le boudin, donne la précision au 0,2 centième de millimètre.

Ce micromètre mesure le diamètre des pièces rondes ou l'épaisseur des objets plats.

Les heures autour du monde

L'heure solaire se modifie : à l'est, il est plus tard ; à l'ouest, il est plus tôt. À l'intérieur de chaque fuseau horaire, le temps légal est le même. L'invention, au XVIIIe siècle, d'un chronomètre fonctionnant sur des bateaux permit aux navigateurs d'améliorer leur calcul de la longitude (position est-ouest).

À l'âge de l'électronique, la mécanique occupe encore une place importante. Un ordinateur possède plusieurs moteurs, une imprimante encore davantage, auxquels s'ajoutent d'ingénieux mécanismes destinés à saisir le papier et à l'imprimer. Les aiguilles des montres à quartz tournent grâce à des roues dentées dont le mouvement est régulé par un dispositif à crochets. Il est communément admis que la roue est le premier mécanisme inventé alors que les leviers sont plus anciens. Les mécanismes se composent d'un nombre restreint de pièces, lesquelles transmettent ou stockent de l'énergie, ou de l'information, autorisant ou guidant un mouvement. L'énergie se transmet au moyen de leviers, d'engrenages et de systèmes à poulies qui peuvent convertir une force faible de grande amplitude en une force importante appliquée sur une petite distance.

Poupées acrobates

Les mécanismes sont des moyens d'utiliser, de transférer ou de modifier une force à des fins pratiques ou récréatives. L'énergie de la gravitation est naturelle, c'est elle qui permet à ces poupées de descendre les marches.

Le mouvement, lancé par une impulsion, se poursuit en vertu des lois de la gravité.

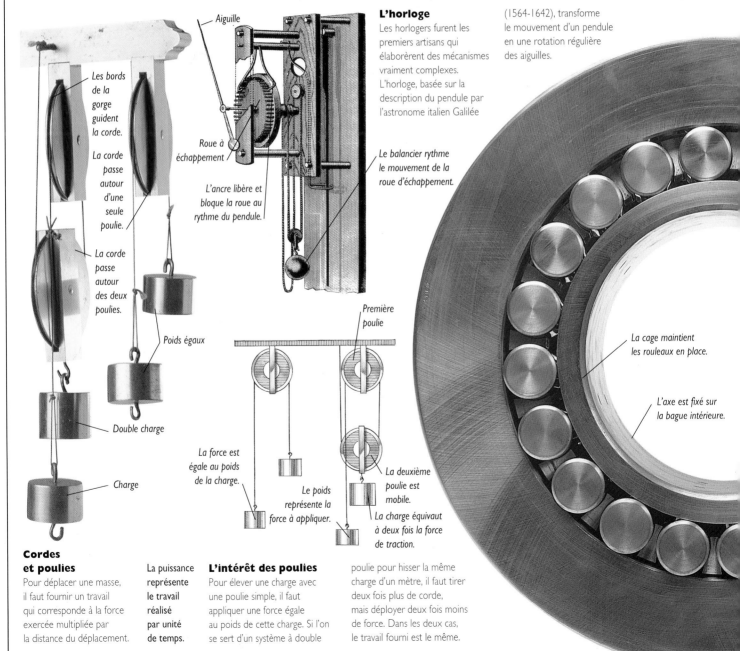

Aiguille

Les bords de la gorge guident la corde.

La corde passe autour d'une seule poulie.

Roue à échappement

L'ancre libère et bloque la roue au rythme du pendule.

La corde passe autour des deux poulies.

Poids égaux

Double charge

Charge

L'horloge

Les horlogers furent les premiers artisans qui élaborèrent des mécanismes vraiment complexes. L'horloge, basée sur la description du pendule par l'astronome italien Galilée (1564-1642), transforme le mouvement d'un pendule en une rotation régulière des aiguilles.

Le balancier rythme le mouvement de la roue d'échappement.

Première poulie

La force est égale au poids de la charge.

Le poids représente la force à appliquer.

La deuxième poulie est mobile.

La charge équivaut à deux fois la force de traction.

La cage maintient les rouleaux en place.

L'axe est fixé sur la bague intérieure.

Cordes et poulies

Pour déplacer une masse, il faut fournir un travail qui corresponde à la force exercée multipliée par la distance du déplacement.

La puissance représente le travail réalisé par unité de temps.

L'intérêt des poulies

Pour élever une charge avec une poulie simple, il faut appliquer une force égale au poids de cette charge. Si l'on se sert d'un système à double poulie pour hisser la même charge d'un mètre, il faut tirer deux fois plus de corde, mais déployer deux fois moins de force. Dans les deux cas, le travail fourni est le même.

Train d'atterrissage

Le train d'atterrissage d'un avion dissipe le choc de l'atterrissage grâce à plusieurs systèmes. Le premier est constitué par les pneus qui se déforment et s'échauffent en absorbant une partie de l'énergie. Le second comporte un ressort hydraulique dont la compression rapide résorbe la plus grande part de l'effet du choc. Le troisième, un amortisseur hydraulique, régule le rééquilibrage du deuxième système.

Les amortisseurs hydrauliques intérieurs absorbent le choc.

Ce vérin hydraulique replie les roues.

Ressort hydraulique

Les pneus absorbent une partie de l'énergie.

Partie extérieure fixée au châssis

Le câble actionne le mécanisme.

Chaîne

Moyeu

Jeu de pignons

Mécanisme du dérailleur

Tendeur

Galet

Position pour les côtes

Position pour le plat

Au grand pignon correspond un petit développement ; au petit pignon, un grand développement.

Dérailleur de vélo

Le pédalier, les pignons (roues dentées) et la chaîne transmettent la force musculaire à la roue arrière de la bicyclette pour la faire avancer. Si la charge est trop lourde en montée, il faut modifier la façon d'appliquer le travail. La roue arrière est munie d'un jeu de pignons de tailles différentes et d'un système, le dérailleur, qui permet de « changer de vitesse » en déplaçant la chaîne d'un pignon à l'autre.

Lamelle

Came en fente

Couronne mobile

Pleine ouverture

Ouverture moyenne

Diaphragme fermé

Le diaphragme : iris de l'appareil photo

À l'intérieur de l'œil, l'iris détermine l'ouverture de la pupille. Le diaphragme d'un appareil photo agit de manière similaire. L'équivalent de l'iris est constitué d'un ensemble de lamelles qui, en fonction de leur position, laissent une ouverture plus ou moins grande au centre. Chacune des lamelles possède deux ergots. L'un, fiché sur une couronne fixe, fait office d'axe, l'autre est engagé dans une des rainures (cames) d'une couronne mobile qui provoque le pivotement simultané des six lamelles et modifie la taille de l'ouverture. Un crantage de la commande indique la variation du diaphragme. Le passage d'un cran à l'autre indique une variation de « un diaphragme », c'est-à-dire une multiplication (ou une division) par deux de la surface d'ouverture et, par conséquent, de la quantité de lumière qui traverse l'objectif.

Cage

Rouleau

Mouvement interne

Mouvement externe

Charnière en plastique

L'effet de ressort du plastique fait basculer le couvercle à l'ouverture ou à la fermeture.

Un roulement à rouleaux

Il existe plusieurs types de roulements : à billes, à aiguilles et à rouleaux. Les roulements permettent la fixation sur un châssis d'un système en rotation, en minimisant les frictions, donc les pertes d'énergie par échauffement. Les roulements à rouleaux peuvent supporter des charges importantes : on les utilise notamment pour les roues de voitures. La partie extérieure du roulement est fixée à la suspension, la partie intérieure à l'axe de la roue.

Ouverture et fermeture rapides

On soulève le couvercle de cette bouteille en déformant une languette de plastique qui agit comme un ressort et le maintient ouvert. Cette même pièce travaille en sens contraire et assure aussi la fermeture du couvercle. Les mécanismes qui ne sont stables que dans deux positions, servent dans de nombreux dispositifs, comme les interrupteurs électriques.

L'organisation du travail en usine a pour but d'augmenter le rendement en rassemblant des ouvriers sur des groupes de machines. L'industrie a remplacé le travail manuel et artisanal par le travail mécanique et la parcellisation des tâches. La production de masse (p. 42), développée par Henry Ford dans le secteur automobile, est encore pratiquée de nos jours. Malgré le peu de générosité des premiers patrons d'usine, la main-d'œuvre était mieux payée par rapport à celle des ateliers d'artisans ou aux paysans. C'est ainsi que le travail en usine est devenu la manière la plus répandue de gagner sa vie.

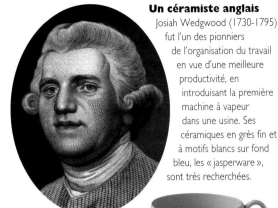

Un céramiste anglais

Josiah Wedgwood (1730-1795) fut l'un des pionniers de l'organisation du travail en vue d'une meilleure productivité, en introduisant la première machine à vapeur dans une usine. Ses céramiques en grès fin et à motifs blancs sur fond bleu, les « jasperware », sont très recherchées.

Relief appliqué à la main

Tasse « jasperware » (1994)

Métier à tisser — Cloche d'appel des travailleurs — Des engrenages transmettent l'énergie dans toute l'usine.

L'énergie hydraulique

La révolution industrielle du XVIIIe siècle doit son essor à l'énergie hydraulique, qui permit l'édification des premières usines. À l'intérieur de cette usine, c'est l'eau courante des rivières qui faisait tourner une roue, laquelle actionnait les métiers à filer et à tisser. Par ailleurs, les canaux représentaient des voies de transport supérieures aux routes défoncées de l'époque. Les industriels, qui accrurent leur productivité en regroupant les travailleurs et en se servant de ces nouvelles techniques, évincèrent rapidement leurs rivaux moins aventureux. Au XVIIIe siècle, comme à présent, l'accès à l'énergie et aux transports déterminait largement le succès ou la faillite d'une entreprise.

L'eau coule sous l'atelier et fait tourner la roue.

Maquette d'un atelier de textile à énergie hydraulique du XVIIIe siècle

Fours de potiers

Le gaz ou l'énergie électrique chauffent les fours modernes d'une façon moins coûteuse. Ces fours datant du XIXe siècle étaient encore en service au début du XXe siècle. Le combustible brûlait sous le plancher en brique supportant les poteries crues. Les gaz chauds de la combustion traversaient les trous du plancher, cuisaient les poteries et s'échappaient par la cheminée.

Karl Marx (1818-1883)

Le développement des usines a vu l'émergence d'une classe dirigeante ambitieuse : les capitalistes. Dans son œuvre de 1867, *Le Capital*, le philosophe allemand Karl Marx mit en évidence le fonctionnement de l'économie capitaliste – qui développait la production et les richesses en exploitant la classe ouvrière – et diagnostiqua son échec. Sa pensée inspira les acteurs des révolutions communistes du XXe siècle.

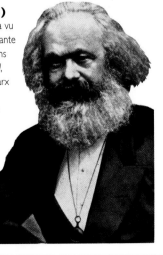

L'Arsenal de Venise

L'organisation du travail préexistait à l'édification des usines. Sur une chaîne de production moderne, le travail vient à l'ouvrier qui répète constamment la même opération. À l'inverse, des équipes peuvent être amenées à se déplacer sur une série d'ouvrages immobiles. En Italie, la construction navale à l'Arsenal médiéval de Venise s'effectuait selon ce principe, produisant énormément de vaisseaux de guerre destinés aux conflits endémiques des États italiens. Un navire, directement approvisionné aux entrepôts de l'Arsenal, pouvait appareiller en vingt-quatre heures.

LA MÉCANISATION DU TRAVAIL

La mécanisation du travail débuta au milieu du XVIIIe siècle, après que tout eut été exécuté à la main pendant des milliers d'années. Certains propriétaires de manufactures (filatures, tissage) furent parmi les premiers à bénéficier de la technologie nouvelle. Grâce aux machines, on put produire en masse (p. 38-39) des vêtements en laine et en coton, en réduisant leur prix de revient.

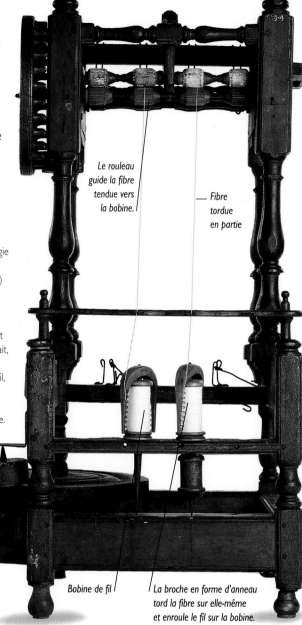

Le rouleau guide la fibre tendue vers la bobine.

Fibre tordue en partie

Du fuseau...

Le filage consiste à obtenir un fil, qui sera tissé en étoffe, en tordant des fibres de laine ou de coton. Bien avant la mécanisation, on filait à la main en se servant d'un fuseau. D'une main, on démêlait les fibres d'une bourre, de l'autre on tortillait l'ébauche du fil avant de l'enrouler sur le fuseau. On suspendait ensuite le fuseau en le faisant tourner pour étirer le fil. Cette méthode lente et irrégulière devint obsolète avec l'apparition du rouet, importé des Indes au cours du XIIIe siècle.

... au métier à filer

Le métier à filer utilisant l'énergie hydraulique apparut en 1769. Richard Arkwright (1732-1792) se serait attribué cette modernisation aux dépens de Thomas Higgs. Le système complet comprenait, d'une part un métier à peigner qui démêlait, séparait et orientait les fibres pour obtenir une ébauche de fil, et d'autre part une machine à broche pour tirer, tordre et enrouler le fil sur une bobine. Cette mécanisation rendait le filage très rapide et ne nécessitait plus de main-d'œuvre qualifiée.

Les fibres sont démêlées grossièrement à la main et tordues en faisant tourner le fuseau.

Roue motrice

Bobine de fil

La broche en forme d'anneau tord la fibre sur elle-même et enroule le fil sur la bobine.

Le poids étire le fil et conserve la rotation du fuseau suspendu.

L'entraînement par courroie (1900)

L'énergie est transmise par des courroies de cuir entraînées par les axes du plafond. Ces courroies se cassaient, provoquant des dégâts et stoppant les machines. Générateurs et moteurs électriques rendirent le travail plus sûr et plus efficace.

Laser et textile

Lorsqu'on peut traiter beaucoup d'articles à la fois, on augmente la productivité. Pour confectionner un costume sur mesure, un tailleur doit couper avec des ciseaux les différentes pièces une par une. Cette usine de vêtements bon marché, fabriqués en grande série, utilise la découpe au laser. Le faisceau laser (p. 58-59), guidé par ordinateur, effectue un découpage parfait de plusieurs épaisseurs d'étoffe.

Le problème de la transformation de la chaleur (énergie thermique) en une force susceptible de fournir du travail (énergie mécanique) mobilisa bon nombre d'inventeurs. Thomas Newcomen (1663-1729) conçut en 1712, sur la base des travaux de ses prédécesseurs, la première machine à vapeur vraiment utilisable. La plus grande part d'électricité consommée dans le monde est produite par des alternateurs entraînés par des turbines à vapeur. On évalue un moteur thermique au pourcentage de la chaleur qu'il transforme en travail mécanique (le rendement) et au rapport entre son poids et la puissance fournie.

Le principe de la fusée
L'expulsion vers l'arrière, à très grande vitesse, des gaz produits par la combustion pousse la fusée en avant.

Les machines à vapeur devinrent assez légères et puissantes pour tirer des charges sur les voies ferrées.

Locomotives à vapeur
La première locomotive sur rails roula en 1804. Mais c'est la *Rocket*, construite en 1829 par George Stephenson (1781-1848), qui marqua la naissance du chemin de fer.

L'arbre à cames actionne les soupapes.

Came

Des joints métalliques (les segments) assurent la bonne étanchéité de la chambre de combustion.

Le moteur à combustion interne
Une machine à vapeur fonctionne en deux étapes : la vapeur est produite par une chaudière, puis détendue à l'intérieur d'un cylindre, en poussant un piston. Vers le milieu du XIXe siècle, on testa des moteurs plus petits et plus efficaces qui supprimaient la vapeur en introduisant une flamme à l'intérieur du cylindre. Mais il fallait trouver un combustible que l'on pût placer dans le cylindre et enflammer. Le Français Étienne Lenoir mit au point, en 1860, le premier moteur à explosion à deux temps, qui était enflammé par une étincelle électrique.

L'Allemand Nikolaus Otto (1832-1891) construisit en 1876 l'ancêtre des moteurs automobiles modernes : il était à quatre temps et fonctionnait au gaz. En 1893, Rudolf Diesel (1858-1913) inventa un mélange explosant lorsqu'il était compressé. Les moteurs Diesel sont plus lourds mais plus économiques et plus fiables que les moteurs à essence.

Arrivée d'air

Les soupapes laissent entrer l'air et sortir les gaz brûlés.

Alternateur

Une courroie entraîne l'alternateur qui fournit l'énergie électrique.

Le vilebrequin transforme le mouvement vertical du piston en un mouvement de rotation.

Le fonctionnement d'un moteur à essence
La majorité des moteurs automobiles sont à quatre temps et dotés de quatre cylindres.

La succession des explosions assure une rotation sans à-coups.

Jauge pour vérifier le niveau d'huile.

Le carter contient l'huile qui réduit les frictions.

Piston

Bielle

L'huile est propulsée dans les cylindres pour lubrifier les pistons.

Soupape d'admission ouverte

Piston

Vilebrequin

Le système d'allumage provoque une étincelle.

Bougie d'allumage

Les gaz chauds se détendent et poussent le piston.

Soupape d'échappement ouverte

1 Admission
Quand le piston descend, la soupape d'admission est ouverte par la came et l'air aspiré dans le cylindre. Un injecteur, contrôlé électroniquement, envoie une quantité soigneusement dosée d'essence.

2 Compression
Quand le piston remonte, les soupapes sont fermées et le mélange air-essence est compressé. Le système d'allumage crée une étincelle entre les électrodes de la bougie quand le piston arrive en haut de sa course.

3 Explosion
L'étincelle enflamme le mélange air-essence. Les gaz à haute température exercent une pression qui pousse le piston vers le bas, ce qui fait tourner le vilebrequin. La chaleur est alors transformée en énergie mécanique.

4 Échappement
Lorsque la soupape d'échappement s'ouvre, le piston, entraîné par un volant d'inertie ou l'explosion dans un autre cylindre, remonte en éjectant les gaz brûlés.

Les Japonais créèrent en 1964 la première ligne à grande vitesse (210 km/h) entre Tokyo et Osaka. Comme le TGV français (vitesse de croisière : 300 km/h), le Shinkansen japonais (à gauche) nécessite des voies spéciales extrêmement rigides.

Les trains à grande vitesse

Proportionnellement, un train utilise beaucoup moins d'énergie qu'une voiture, par passager transporté. La plupart des trains modernes sont électriques. Cette énergie provient de centrales qui transforment la chaleur en électricité.

Moteur à réaction

Le principe de base de ce type de propulsion est le même que celui de la fusée : la poussée vers l'avant est due au rejet, à très grande vitesse, vers l'arrière de gaz chauds. Dans un turboréacteur, le kérosène est mélangé à de l'air comprimé, brûlé et expulsé en un jet rapide et régulier. Le mouvement alternatif des pistons est supprimé, il n'y a plus que des pièces en rotation continue. Les turboréacteurs à double flux se distinguent des premiers par une aspiration d'air bien plus importante, grâce à la soufflante, et par le mélange, à la sortie de la tuyère, des gaz chauds et d'un air faiblement compressé.

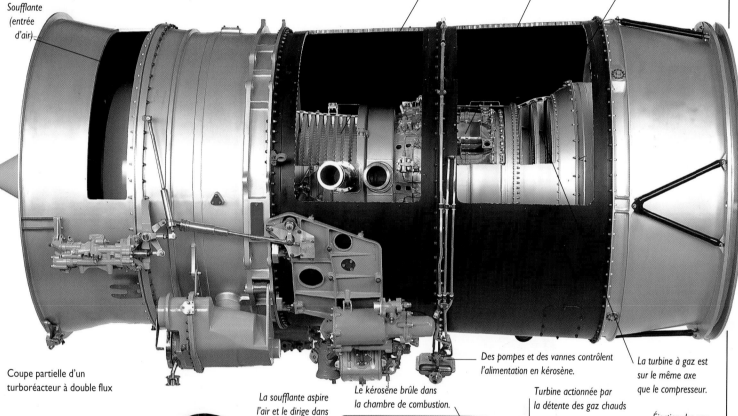

Les pales du compresseur poussent l'air jusqu'à la chambre de combustion.

Le mélange air-kérosène brûle dans la chambre de combustion.

Le flux d'air secondaire passe autour de la partie motrice.

Soufflante (entrée d'air)

Coupe partielle d'un turboréacteur à double flux

Des pompes et des vannes contrôlent l'alimentation en kérosène.

La turbine à gaz est sur le même axe que le compresseur.

La soufflante aspire l'air et le dirige dans et autour de la partie active du réacteur.

Le kérosène brûle dans la chambre de combustion.

Turbine actionnée par la détente des gaz chauds

Éjection des gaz

Premier étage du compresseur

Le deuxième étage augmente la pression.

Flux secondaire (air à pression moyenne)

Frank Whittle (né en 1907)

Cet aviateur anglais n'avait que vingt-trois ans lorsqu'il breveta le principe du turboréacteur. À cette époque, les avions étaient équipés de moteurs à pistons, ce qui limitait les vitesses et les altitudes atteintes et particulièrement les applications militaires. Les recherches se poursuivaient dans plusieurs pays, et le premier vol d'un avion à turboréacteur eut lieu en 1939 en Allemagne. Les appareils militaires à turboréacteurs n'apparurent qu'en 1944 (en Allemagne d'abord) et n'eurent pas d'influence décisive sur l'issue de la Seconde Guerre mondiale.

Haute compression

Contrairement aux moteurs de fusées, les moteurs à réaction utilisent l'air atmosphérique. Des compresseurs, montés sur un axe rotatif, aspirent l'air pour le propulser dans des espaces de plus en plus étroits, jusqu'à la chambre de combustion, où il est mélangé au kérosène. Ces compresseurs sont montés sur le même axe qu'une turbine entraînée par le flux de gaz chauds à la sortie du réacteur.

Il existe deux moyens d'organiser la production : soit une même personne réalise seule l'ensemble des opérations, soit chaque opération est effectuée par une personne différente. La production de masse s'appuie sur le second procédé. La parcellisation d'une fabrication en une série d'étapes élémentaires permet la mécanisation ou l'emploi de personnel peu qualifié : une machine ou un ouvrier peuvent répéter sans fin et sans erreur une opération simple. L'ouvrier essuie le revers d'un tel type d'organisation en n'ayant plus jamais la satisfaction de réaliser un objet complet. Pour que deux pièces complémentaires, issues de deux chaînes différentes, s'assemblent sans la moindre retouche, les ingénieurs doivent veiller à la précision du processus de fabrication.

Trou pour l'ergot de la matrice mobile

Un des pionniers
Eli Whitney (1765-1825) fut parmi les premiers à fabriquer des pièces aux tolérances si précises qu'elles étaient interchangeables.

Pièce de pompe moulée
Les plastiques moulables par injection se prêtent admirablement à la production de masse. Chaque pièce peut être reproduite à des milliers d'exemplaires avec précision. On peut mouler des formes complexes en utilisant des matrices à parties mobiles ou effectuer de petits moulages simples en une seule injection. On reconnaît ces objets aux lignes témoins laissées par les jointures entre deux parties de la matrice.

L'opération de moulage par injection
Les granulés de plastique (p. 26) chargés par la trémie sont chauffés et mélangés dans le corps de la pompe d'injection.

Ce moule reproduit 40 pièces de pompe par heure (à gauche).

Les deux matrices d'un moule
Ce moule, conçu à l'aide d'un ordinateur (p. 55), a été réalisé par des mécaniciens virtuoses.

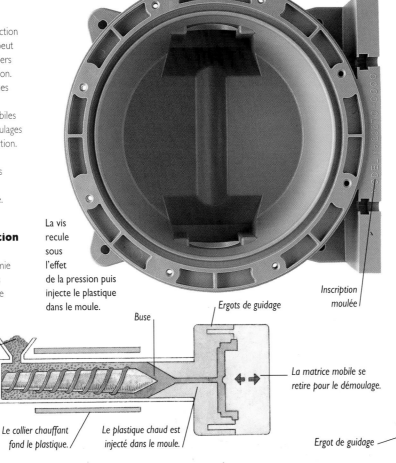

La vis recule sous l'effet de la pression puis injecte le plastique dans le moule.

Inscription moulée

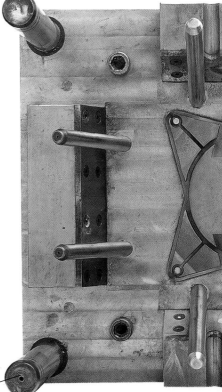

On charge les granulés dans la trémie.

Buse

Ergots de guidage

La matrice mobile se retire pour le démoulage.

La vis tourne et pousse le plastique vers le moule.

Le collier chauffant fond le plastique.

Le plastique chaud est injecté dans le moule.

Ergot de guidage

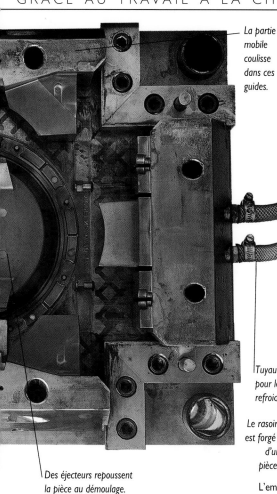

La partie mobile coulisse dans ces guides.

Des éjecteurs repoussent la pièce au démoulage.

Le bâti en métal massif assure la précision.

Le plastique moulé est brillant ou mat en fonction de l'état de surface du métal.

Ces tiges actionnent les parties mobiles quand on ferme le moule.

L'OBJET JETABLE

Le concept d'objet jetable apparut en 1903 quand King C. Gillette (1855-1932) commercialisa un rasoir dont on jetait la lame lorsqu'elle était émoussée. Depuis, cette idée a été appliquée à d'innombrables produits. Grâce à l'ingénierie de précision et à l'automatisation de l'assemblage, ces articles rencontrent un vif succès auprès des consommateurs. Toutefois, un tel concept aggrave la quantité de déchets produits (p. 62-63).

Bord coupant

Rasoir en bronze
Ce rasoir date d'environ 500 av. J.-C. Pour le fabriquer, le forgeron utilisait beaucoup de métal, car un tel objet devait durer longtemps.

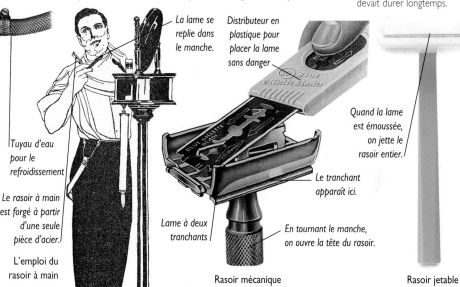

La lame se replie dans le manche.

Distributeur en plastique pour placer la lame sans danger

Tuyau d'eau pour le refroidissement

Le rasoir à main est forgé à partir d'une seule pièce d'acier.

L'emploi du rasoir à main

Lame à deux tranchants

Le tranchant apparaît ici.

En tournant le manche, on ouvre la tête du rasoir.

Quand la lame est émoussée, on jette le rasoir entier.

Rasoir mécanique

Les modèles de rasoir au fil du temps
Jusque vers 1905, on utilisait le rasoir « à main » dont la lame se repliait à l'intérieur

Rasoir jetable
du manche. En 1895, Gillette breveta le rasoir mécanique dont la lame se jetait. En 1975, Bic commercialisa le premier rasoir jetable.

Le percuteur frappe l'amorce de la cartouche.

La chambre rotative contient les munitions.

Crosse revêtue de caoutchouc vulcanisé.

Détente

Canon   Guidon

Le revolver Colt
Ce revolver Colt Peacemaker, commercialisé en 1873 par l'Américain Samuel Colt (1814-1862), fut sans doute

le premier article produit en série distribué sur le marché. Eli Whitney (p. 38) aida Colt à installer sa chaîne de production.

Stylo à bille Bic

Le baron Bich (1914-1994)
Le baron Marcel Bich, industriel français, fonda en 1949 une petite société qu'il appela Bic. Après de longues négociations avec l'inventeur hongrois du stylo à pointe bille, Ladislao Biro

(1899-1985), il lança, en 1953, le fameux stylo Bic jetable. Sa conception très simple permettait d'en produire 10 000 par jour. En trois ans, ce chiffre passa les 250 000, et depuis ce sont des millions de stylos qui sont vendus (et jetés) chaque jour.

La révolution industrielle et la production d'objets de consommation en grande série ont modifié, dans les pays industrialisés, la société et l'environnement domestique. L'accessibilité de tels objets, ajoutée aux incitations commerciales, marque la naissance de la « société de consommation ». Les travaux domestiques, ménage, cuisine, couture, lessive, etc., étaient assumés par les femmes et cet état de fait perdure en grande partie. Des tâches éreintantes, comme le ménage et la lessive, ont été facilitées par les appareils électroménagers, mais devant une exigence d'hygiène croissante, la charge de travail n'a guère diminué. L'aménagement, commencé au XIXᵉ siècle, de la distribution d'eau et du réseau des égouts a réduit le risque de diffusion des grandes épidémies à l'intérieur des villes. L'électrification des foyers au XXᵉ siècle a permis un éclairage de qualité et une mécanisation domestique.

L'effet cyclone

L'électroménager peut adopter, grâce aux matériaux modernes, les principes des machines industrielles. Cet appareil combine une aspiration classique au cyclone de dépoussiérage. Une fois délogée, la poussière est aspirée par un puissant courant d'air.

La vaisselle (à gauche)

Après avoir fait chauffer de l'eau, cette domestique lavait la vaisselle sans bénéficier de l'aide des détergents actuels.

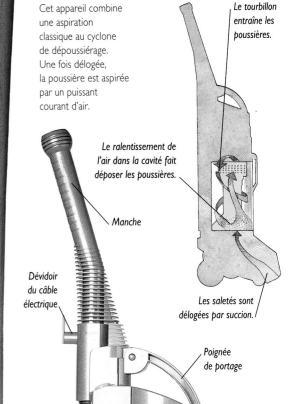

Le tourbillon entraîne les poussières.

Le ralentissement de l'air dans la cavité fait déposer les poussières.

Manche

Les saletés sont délogées par succion.

Dévidoir du câble électrique

Poignée de portage

Suceur étroit amovible

Poignée du récipient

Récipient où se déposent les poussières

On actionne les soufflets par ce levier en bois.

La tête d'aspiration est munie d'une brosse.

Ergot du dévidoir

Aspirateur à soufflets

Il fallait deux personnes pour utiliser cet aspirateur lourd et peu maniable, datant du début du XXᵉ siècle : l'une actionnait les soufflets tandis que l'autre dirigeait le tuyau d'aspiration. Vers 1930, l'électricité commença à arriver dans les foyers et l'équipement électroménager se développa.

L'assainissement

On ne pourrait vivre en milieu urbain sans infrastructure technique. Entre 1832 et 1854, les épidémies de choléra firent plus de 20 000 victimes à Londres. Les gens s'infectaient avec l'eau polluée de la Tamise. Des travaux de canalisation débutèrent en 1858. Ils durèrent jusqu'en 1875 et nécessitèrent l'assèchement de 60 km² de marécages et la construction de deux grandes stations de pompage.

L'image ci-dessus montre le chantier d'une station de pompage.

Les soufflets aspirent l'air.

Orifice d'aspiration

L'ÉCLAIRAGE DE LA MAISON

Au XIXe siècle, on utilisait le gaz et le pétrole pour l'éclairage domestique. Ces produits dangereux diffusaient une lumière faible. Ils disparurent dès que l'on sut fabriquer des lampes électriques dont le filament ne brûlait pas. On pompait l'air des premières ampoules à filament en carbone, puis, en 1913, on mit au point des ampoules à filament métallique remplies de gaz inerte.

Les résistances du chauffage électrique sont dans les panneaux.

Décor des années 1890

Corps en tôle d'acier

Culot à vis conçu par Edison

Interrupteur

Un poêle électrique rétro

Entre 1900 et 1930, le personnel de maison fut remplacé en partie par des équipements électriques modernes dont certains étaient la réplique d'anciens. Ainsi, ce chauffage électrique, qui ne nécessitait aucun entretien, était la copie d'un poêle démodé.

Mèche à bois

Coque en plastique léger

Le mandrin serre la mèche.

Perceuse électrique

La première perceuse électrique portable – malgré ses 11 kg – fut construite en 1917. Grâce aux matériaux d'aujourd'hui (aciers et isolants de meilleure qualité pour le moteur, coque en plastique léger et robuste), cette perceuse moderne ne pèse que 1,5 kg. La nouvelle génération de perceuses sans fil a bénéficié des progrès accomplis dans les batteries électriques. Les bricoleurs utilisent toute une gamme d'outillage électrique qui leur assure une exécution rapide de réalisations domestiques.

L'éclairage à la bougie

Certaines bougies modernes sont étudiées pour que la cire et la mèche soient parfaitement accordées et que la bougie brûle sans faire couler de cire fondue.

La mèche se consume régulièrement en gardant la bonne longueur.

Lampe tempête

La lampe à pétrole produit une flamme plus claire que la bougie. Cette lampe tempête brûle du pétrole lampant (kérosène extrait du pétrole brut).

Lampe d'Edison

En 1878-1879, l'Américain Thomas Edison (1847-1931) et le Britannique Joseph Swan (1828-1914) inventèrent presque en même temps la lampe à incandescence. Le filament en carbone était placé dans une ampoule dont on pompait l'air pour qu'il ne brûle pas. La lumière n'était pas très puissante, mais cette invention marquait un grand progrès sur ce qui existait à l'époque.

Vide dans l'ampoule

Filament en carbone tiré d'une fibre de bambou

Queusot par où l'air a été pompé

Si on augmente la fréquence électrique, le dispositif peut être réduit. Les modèles en tube replié s'adaptent sur une installation standard.

Les lampes fluorescentes compactes

Une décharge électrique dans de la vapeur de mercure émet un rayonnement ultraviolet. Ce rayonnement excite le revêtement intérieur fluorescent du tube qui réémet une lumière visible. À consommation égale, ce tube est quatre fois plus lumineux qu'une lampe ordinaire. Habituellement, ce type de luminaire disgracieux exige un dispositif d'amorçage important.

Une ampoule moderne

Cette lampe à incandescence moderne dure deux fois plus longtemps et produit quatre fois plus de lumière que la lampe d'Edison (à gauche). Le filament est en tungstène, métal qui fond à plus de 3600 °C. L'ampoule contient une atmosphère d'argon, obtenue par la distillation d'air liquide. Le filament en double spirale concentre la chaleur et augmente l'intensité lumineuse.

Le verre empêche la flamme d'être soufflée.

Le pétrole remonte par la mèche en tissu.

Réservoir de pétrole

Enveloppe en plastique de la douille

Ampoule remplie d'argon

Filament spiralé en tungstène

Tube fluorescent circulaire

L'électronique est logée dans le culot.

Douille ordinaire

Une lampe ordinaire absorberait plus de trois fois ce courant.

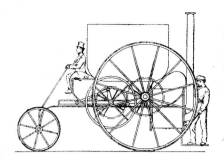

Dans sa forme générale, la voiture n'a guère changé depuis l'époque où les premiers véhicules à essence pétaradaient sur des chemins conçus pour les chevaux. Mais elle a été l'objet de continuels perfectionnements. On utilisa d'abord des machines à vapeur, trop pesantes et trop lentes, puis des moteurs électriques aux batteries lourdes. L'apparition du moteur à combustion interne (p. 36) révolutionna les moyens de transport. Depuis cette invention, le développement de l'automobile a suivi un cours régulier : chaque année saluait une innovation et l'augmentation du nombre de véhicules sur les routes.

La voiture à vapeur
Ces véhicules, roulant sur des rails, transportaient des passagers et des marchandises cinquante ans avant la voiture à essence.

Grâce à la thermodynamique, les voitures purent rouler sur routes.

UN DÉVELOPPEMENT INQUIÉTANT

Le réseau routier s'est considérablement développé. L'accroissement du trafic et des infrastructures routières pose de graves problèmes : les pays où la densité de population est importante manquent de place, le pétrole s'épuise et, surtout, les accidents de la route font chaque année plusieurs dizaines de milliers de victimes dans le monde.

**Henry Ford
(1863-1947)**
La firme Fiat fut la première à lancer la production d'automobiles à la chaîne. Mais l'histoire a surtout retenu la Ford T de l'ingénieur américain Henry Ford, conçue en 1908, qui révolutionna le transport individuel et fut également produite à la chaîne. Ce véhicule accessible au grand public était remarquable pour la simplicité de sa conception. Henry Ford travailla à la constante réduction de son prix, ce qui fit de la compagnie Ford la première au monde.

**Une voiture
de luxe moderne**
Le constructeur japonais Toyota a fait son entrée sur le marché des voitures de luxe avec la Lexus en 1992.

Le raffinement des détails, la mise sous contrôle électronique du moteur et de bien d'autres systèmes et l'automatisation de la boîte de vitesses en sont les traits marquants.

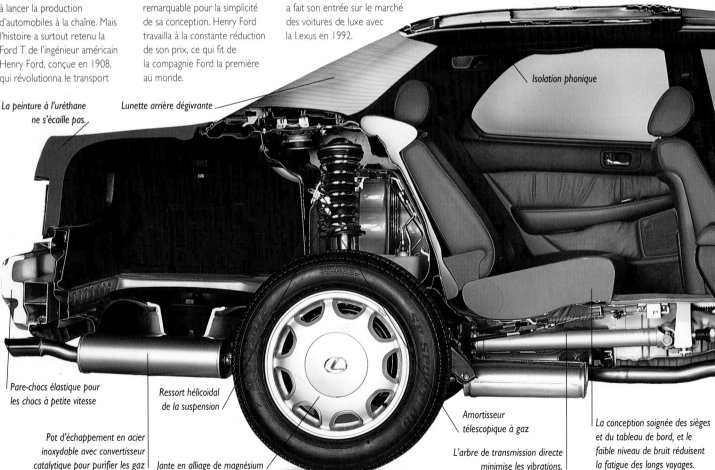

La peinture à l'uréthane ne s'écaille pas.

Lunette arrière dégivrante

Isolation phonique

Pare-chocs élastique pour les chocs à petite vitesse

Ressort hélicoïdal de la suspension

Amortisseur télescopique à gaz

Pot d'échappement en acier inoxydable avec convertisseur catalytique pour purifier les gaz

Jante en alliage de magnésium

L'arbre de transmission directe minimise les vibrations.

La conception soignée des sièges et du tableau de bord, et le faible niveau de bruit réduisent la fatigue des longs voyages.

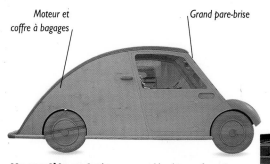

Moteur et coffre à bagages

Grand pare-brise

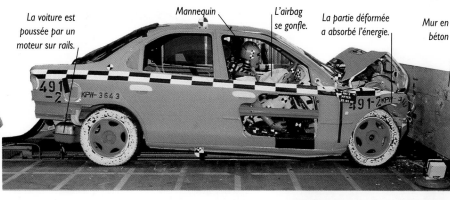

La voiture est poussée par un moteur sur rails.

Mannequin

L'airbag se gonfle.

La partie déformée a absorbé l'énergie.

Mur en béton

Un modèle en bois
Depuis l'apparition des premières voitures, les concepteurs jouent sur les agencements possibles du moteur, des roues et des places. Durant l'élaboration d'une nouvelle voiture, on réalise toujours plusieurs maquettes grandeur nature. On les exécute d'abord avec de l'argile sur une charpente en bois, pour visualiser la ligne générale et apporter les modifications nécessaires.

L'architecte français Le Corbusier (1887-1965) dessina ce prototype étrange dans les années 20. Le projet ne dépassa pas le stade de la maquette en bois, bien qu'il présente un air de famille avec la 2 CV Citroën, qui connut un vif succès jusqu'à l'arrêt de sa production, en janvier 1990.

Voiture sur un banc de test
Les ingénieurs tentent de minimiser les conséquences des accidents de voiture en étudiant la dissipation de l'énergie lors d'une collision. Pour amortir la violence d'un choc en laissant l'habitacle intact, les parties avant et arrière doivent se déformer progressivement. Le modèle est contrôlé sur un banc de test.

Toit ouvrant en verre feuilleté

Vitre à commande électrique

Rétroviseur extérieur dégivrant

Colonne de direction

Tableau de bord électronique

Fermeture centralisée et système antivol

Une chaîne robotisée
Les premières voitures possédaient un lourd châssis sur lequel étaient montés les divers éléments. À la fin des années 20, on conçut la carrosserie autoporteuse : l'assemblage des tôles d'acier embouties (p. 11) forme une enveloppe légère et résistante qui soutient le moteur et l'ensemble des équipements. L'assemblage des éléments de carrosserie est effectué sur cette chaîne par des robots.

L'augmentation du trafic
Procurant l'indépendance, l'automobile est le moyen de transport le plus apprécié. Les encombrements, la pollution, les accidents mortels et la demande croissante d'espace pour construire des autoroutes sont le revers de ce succès.

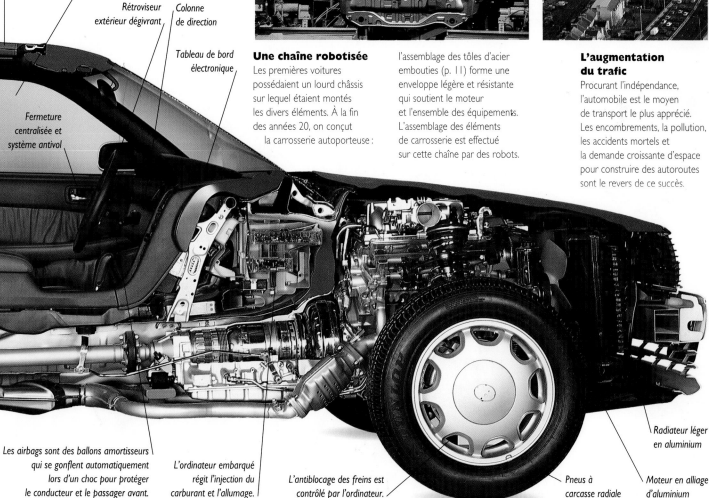

Les airbags sont des ballons amortisseurs qui se gonflent automatiquement lors d'un choc pour protéger le conducteur et le passager avant.

L'ordinateur embarqué régit l'injection du carburant et l'allumage.

L'antiblocage des freins est contrôlé par l'ordinateur.

Pneus à carcasse radiale

Radiateur léger en aluminium

Moteur en alliage d'aluminium

Il y a 10 000 ans environ, l'humanité commença à cultiver la terre. C'était la première tentative de maîtrise de l'environnement. Auparavant, les hommes se nourrissaient de cueillette et de chasse. L'agriculture laissait la liberté d'effectuer d'autres travaux et d'améliorer les outils et les méthodes de culture. La technologie agricole évolua parallèlement à la technologie générale. Elle se modifia peu entre l'apparition de la charrue et le moment où, au XVIIIe siècle, l'apparition de nouvelles industries provoqua l'exode rural (p. 34-35).

L'agriculture au XIIIe siècle

Ce tableau médiéval illustre une scène d'agriculture au XIIIe siècle. Une fois que la terre était labourée, on éparpillait la semence dans les sillons en la lançant à la volée. Les semailles était ensuite moissonnées avec des outils rustiques comme la faucille. Pour ne pas appauvrir la terre, on pratiquait l'assolement triennal : chaque terrain était laissé en friche un an sur trois.

Une large lame marque le sol pour aligner le passage suivant.

DES MACHINES POUR ACCROÎTRE LE RENDEMENT

L'invention de certaines machines, comme le semoir ou l'épandeur d'engrais, permirent la réduction de la main-d'œuvre et l'accroissement des rendements, ce qui fut à l'origine de surproduction dans les pays industrialisés. Les populations du tiers monde qui n'ont pas eu accès à ces changements, dépendent le plus souvent des surplus des nations riches.

La grande roue actionne un rouleau qui distribue les semences de façon uniforme, quelle que soit la vitesse du semoir.

Les bras permettent de jouer sur la direction et la profondeur.

Lien de harnais pour l'attelage des chevaux ou des bœufs

Trois actions en une

La charrue, le plus important des outils agricoles, est apparu il y a environ 4 000 ans. La charrue effectue plusieurs tâches : elle retourne la couche supérieure du sol, enfouit le chaume de la dernière récolte, aère et ameublit la terre, enterre et tue les mauvaises herbes. Les charrues modernes, tirées par des tracteurs, tracent plusieurs sillons en un même passage.

Le coutre fend la terre.

Le versoir retourne la terre détachée par le coutre et le soc pour former un sillon.

Le soc tranche horizontalement.

Rivet

Bord tranchant

Manche en bois

Petite faux à main

Les outils n'ont pas entièrement disparu des travaux des champs. Fabriquée en usine, cette faux moderne, faite d'une tôle d'acier durci rivetée à une barre d'acier ordinaire, est la descendante directe de la faucille d'autrefois que le forgeron façonnait d'une seule pièce. Sa lame recourbée la rend idéale pour tailler les haies et effectuer d'autres petits travaux de coupe.

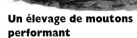

Un élevage de moutons performant

L'élevage de moutons fut introduit en Australie pour la laine. Celle-ci était exportée dans le monde, tandis que la viande, périssable, devait être mangée sur place. Le surplus de carcasses était soit brûlé, soit réduit par cuisson pour faire du savon, comme le montre cette illustration de 1868.

La technique de la réfrigération date de la fin du XIXe siècle (p. 46).

Brassage et élevage

Les procédés agricoles conduisent aux bio-technologies modernes (p. 60-61).

Le brassage utilise des micro-organismes pour transformer le grain en bière.

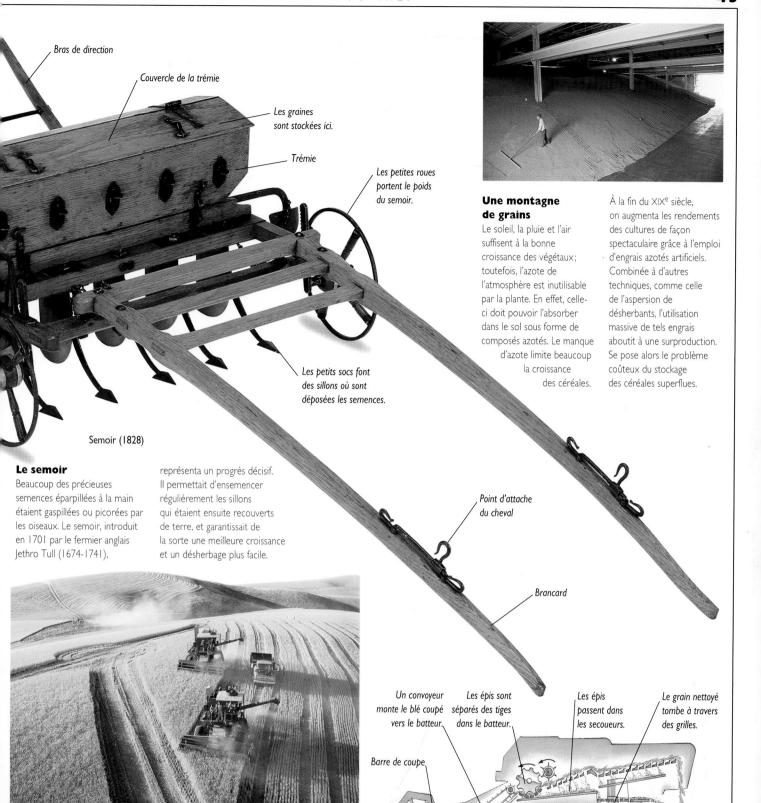

Bras de direction

Couvercle de la trémie

Les graines sont stockées ici.

Trémie

Les petites roues portent le poids du semoir.

Les petits socs font des sillons où sont déposées les semences.

Semoir (1828)

Point d'attache du cheval

Brancard

Une montagne de grains

Le soleil, la pluie et l'air suffisent à la bonne croissance des végétaux ; toutefois, l'azote de l'atmosphère est inutilisable par la plante. En effet, celle-ci doit pouvoir l'absorber dans le sol sous forme de composés azotés. Le manque d'azote limite beaucoup la croissance des céréales.

À la fin du XIXᵉ siècle, on augmenta les rendements des cultures de façon spectaculaire grâce à l'emploi d'engrais azotés artificiels. Combinée à d'autres techniques, comme celle de l'aspersion de désherbants, l'utilisation massive de tels engrais aboutit à une surproduction. Se pose alors le problème coûteux du stockage des céréales superflues.

Le semoir

Beaucoup des précieuses semences éparpillées à la main étaient gaspillées ou picorées par les oiseaux. Le semoir, introduit en 1701 par le fermier anglais Jethro Tull (1674-1741), représenta un progrès décisif. Il permettait d'ensemencer régulièrement les sillons qui étaient ensuite recouverts de terre, et garantissait de la sorte une meilleure croissance et un désherbage plus facile.

Un convoyeur monte le blé coupé vers le batteur.

Les épis sont séparés des tiges dans le batteur.

Les épis passent dans les secoueurs.

Le grain nettoyé tombe à travers des grilles.

Barre de coupe

Rejet de la balle et de la paille

Le rabatteur couche les tiges de blé sur la barre de coupe.

La moissonneuse-batteuse

La moissonneuse-batteuse connut un grand succès aux États-Unis : elle convenait parfaitement aux récoltes des grandes plaines du Middle West.

Véritable usine mobile, automatique, elle n'occupe que deux travailleurs pour moissonner et traiter la récolte. Les céréales sont coupées et ramassées, puis le grain est extrait par battage et nettoyé en un seul passage.

On détermine le meilleur moment pour moissonner grâce aux images des satellites.

Le fonctionnement de cette machine

Une fois nettoyé de sa balle, le grain traverse les grilles, est aspiré dans un tuyau et stocké dans une remorque avant son transfert. Enfin, la machine rejette la balle, tandis que la paille (les tiges) est directement mise en bottes.

Le goût et l'odorat agissent comme de véritables sentinelles pour nous prévenir de l'empoisonnement et de la maladie. L'odorat nous renseigne aussi sur notre environnement et peut susciter de violentes réactions d'attirance ou de dégoût. Arômes et parfums tiennent une place déterminante dans l'industrie alimentaire. Lorsque la nourriture est corrompue par des bactéries (organismes microscopiques qui se développent presque partout), il en émane des odeurs déplaisantes. Le sel et le vinaigre ont servi pendant des siècles à prévenir la prolifération de ces bactéries.

Navire frigorifique
En 1877, le *Frigorifique* traversa l'Atlantique, chargé de carcasses de viande conservées par le froid en air sec suivant la méthode de réfrigération du Français Charles Tellier (1828-1913).

CONSERVES ET CONGÉLATION

La mise en conserve et la congélation ont augmenté les durées de conservation des produits tout en respectant la plus grande part de leur saveur d'origine.

Les grains de blé sont bouillis, râpés et grillés pour préparer le « Shredded Wheat ».

La première barre de céréales commerciale

Henry Perky (1843-1906)
Perky, homme de loi américain qui souffrait d'indigestion chronique, inventa en 1892 un procédé pour rendre la farine plus digeste.

Fabrication du fromage frais

Le lait est constitué de globules de matières grasses et de protéines en suspension dans l'eau. La coagulation des globules produit une substance pâteuse, le caillé, et un liquide, le petit-lait. Séparé du petit-lait, le caillé donne le fromage.

Le caillé est versé sur la mousseline.

La mousseline, au tissage très serré, est idéale comme tamis.

1 Fabrication du caillé

On forme le caillé en ajoutant au lait, chauffé à 30 °C environ, un peu d'un lait contenant de bonnes bactéries (le ferment).

Celles-ci se nourrissent du sucre naturel du lait qu'elles transforment en acide. On ajoute alors de la présure (extrait de l'estomac de veau) pour hâter la formation du caillé.

Le fromage est pendu dans un endroit frais.

2 Séparation du petit-lait

Le petit-lait s'égoutte lentement au travers de la mousseline. Le caillé devient plus ferme. La nature du lait (entier ou écrémé), l'origine du ferment (animal ou végétal) et la température modifient la saveur et la texture du fromage. Ces fromages frais peuvent être moulés et servis sur un plateau de fromages ou utilisés en cuisine.

Le caillé est recouvert avec la mousseline.

Le petit-lait s'écoulant, le caillé s'épaissit en fromage.

3 Égouttage

La mousseline est repliée pour envelopper le fromage. Le petit-lait recueilli est un excellent apport alimentaire que les producteurs de fromages redistribuent aux vaches. Le lait est constitué à 80 % d'eau. Un fromage qui doit vieillir sera progressivement déshydraté par pressage pour que sa saveur se développe plusieurs semaines.

Passoire

Égouttage du petit-lait

4 L'étape finale

Le caillé, suspendu dans son sac de mousseline, s'égoutte pendant plusieurs heures. Puis il est prêt à l'emballage pour la vente comme fromage frais ou fromage blanc.

Pâtes au fromage   Dessert chocolaté

Morceaux de pain

Soupe à la tomate

Nicolas Appert (1749-1841)

Ce cuisinier français inventa, à la fin du XVIIIe siècle, la stérilisation dans des récipients hermétiques.

La nourriture dans l'espace

Nourrir des personnes dans l'espace pose un véritable problème : comment garder des aliments dans l'assiette lorsqu'il n'y a pas de pesanteur ? Il a fallu mettre au point un système de transfert direct de la nourriture dans la bouche. Les denrées sont déshydratées, généralement par lyophilisation pour préserver les substances nutritives. Pour lyophiliser, on gèle les comestibles à très basse température, puis on fait le vide ; l'eau est ensuite pompée sous forme de vapeur sans repasser par l'état liquide. Les aliments ne pèsent plus qu'un quart de leur poids initial à l'issue de cette opération.

La farine des pâtes peut se conserver des années. Pour l'utiliser, il suffit de la cuire dans de l'eau bouillante. Les pâtes se consomment aussi fraîches.

Machine à fabriquer des pâtes

Les pâtes (préparation à base de blé dur riche en protéines) furent importées de Chine par les Italiens au Moyen Âge. Moulu en une farine grossière, le blé dur est ensuite dilué dans l'eau puis séché.

Café lyophilisé

La poudre de café instantané est obtenue en lyophilisant une grande quantité de café noir concentré.

L'ODORAT

Les odeurs provoquent attirance ou rejet et éveillent des sensations comme aucun autre sens. Aussi le commerce et la technologie se sont-ils penchés sur leur pouvoir évocateur. Les chimistes savent créer des parfums artificiels imitant les bonnes odeurs et masquant les mauvaises.

La parfumerie

L'histoire du parfum est liée à celle de la médecine. L'extraction des essences s'est perfectionnée au fil du temps. Depuis 1900, des produits de synthèse entrent dans la composition des parfums, mais les huiles essentielles végétales des plantes et des fleurs en demeurent la base.

Encens (mâle)   Jasmin   Rose   Citronnelle   Camomille

Chromatographie gazeuse

L'industrie alimentaire fait toujours appel à des « nez » (des personnes dont l'odorat est entraîné à identifier les parfums). Pour analyser une odeur ou essayer de simuler une fragrance naturelle, on peut aussi s'aider d'un chromatographe, sorte de nez technique : on injecte une minuscule quantité de substance à tester dans un flux de gaz qui traverse un long tube rempli de poudre ou de liquide. Les constituants du parfum circulent à des vitesses différentes à l'intérieur de ce tube et se déposent les uns après les autres sur le détecteur situé à son extrémité. Les temps d'arrivée sont mesurés par ordinateur, et le chimiste analyse le spectre propre à chaque parfum.

Mentha piperita (menthe poivrée)

Un arôme de propreté

Des odeurs familières comme celles de la menthe poivrée et de la menthe verte proviennent du genre (espèce) *Mentha*. Couramment associées à la pureté, elles abondent dans les produits d'hygiène courants, du dentifrice aux désodorisants.

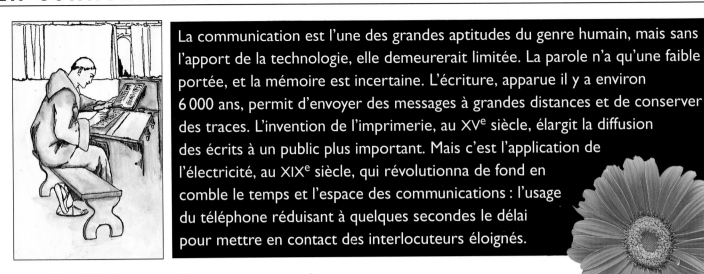

La communication est l'une des grandes aptitudes du genre humain, mais sans l'apport de la technologie, elle demeurerait limitée. La parole n'a qu'une faible portée, et la mémoire est incertaine. L'écriture, apparue il y a environ 6 000 ans, permit d'envoyer des messages à grandes distances et de conserver des traces. L'invention de l'imprimerie, au XVᵉ siècle, élargit la diffusion des écrits à un public plus important. Mais c'est l'application de l'électricité, au XIXᵉ siècle, qui révolutionna de fond en comble le temps et l'espace des communications : l'usage du téléphone réduisant à quelques secondes le délai pour mettre en contact des interlocuteurs éloignés.

Le copiste médiéval

Jusqu'à l'invention de l'imprimerie par l'orfèvre allemand Johannes Gutenberg (1400-1468), vers 1455, les livres étaient écrits à la main par des copistes.

EN SOIXANTE ANS À PEINE...

Le développement des télécommunications est si rapide et constant qu'on a de la peine à imaginer la société d'il y a seulement soixante ans, avec peu de liaisons téléphoniques internationales et sans télévision.

Langage de fleurs

Les formes, les couleurs et les parfums des fleurs attirent les insectes pollénisateurs.

Plume d'oie

La plume d'oie

Jusqu'à l'apparition de la plume en métal, on se servait de plumes d'oiseau pour écrire. On préférait la plume d'aile d'oie dont on taillait le bout, le

La pointe de la plume est taillée au couteau.

tuyau, en pointe avec un petit couteau. Au XVIIᵉ siècle, on inventa une pince, le taille-plume, pour trancher l'extrémité quand elle était usée. Une fente guidait l'encre vers la pointe et le tuyau creux contenait assez d'encre pour écrire quelques mots.

De l'idée à sa réalisation technologique

Il arrive souvent que l'application d'une invention soit différée, faute de technologie appropriée. Ainsi, le principe du télécopieur,

ou fax, fut mis au point en 1843 par l'Écossais Alexander Bain (1810-1877). Mais il fallut attendre l'invention des microprocesseurs (p. 54) pour sa concrétisation.

Porte-plume en bois

La plume en métal

La plume en métal se développa à la fin du XIXᵉ siècle, à l'époque de l'essor des aciéries. Pour imiter la souplesse de la plume d'oie, on façonna différentes formes de plume. Certains modèles furent équipés d'un petit réservoir à encre. Ces formes préfigurent les stylos à plume de qualité, qui allient aisance et esthétique de l'écriture.

La plume en métal s'use très lentement.

Le télécopieur actuel convertit une image en signaux électriques qui sont envoyés sur une ligne téléphonique.

brother FAX-160

La télécopie est envoyée sur une ligne téléphonique ordinaire.

L'écriture japonaise contient trop de caractères pour le télex (téléimprimeur) ; la télécopie permet d'en envoyer l'image.

Pointe feutre en fibres

La pointe feutre

Lancée au Japon vers 1960, elle est la descendante directe des pinceaux d'écriture d'Asie. Le plastique, qui s'est substitué aux poils du pinceau traditionnel, en a fait un outil très pratique. Les pointes feutre proposent une grande variété d'encres et une épaisseur de trait variable suivant la forme de la pointe.

L'encre imbibe une mèche en fibres de Nylon à l'intérieur du corps du stylo et alimente la pointe par capillarité.

LE RÉSEAU MONDIAL

En inventant le téléphone en 1876, Alexander Graham Bell (1847-1922) concrétisait en partie le rêve d'ubiquité en permettant la conversation à distance. Elisha Gray (1835-1901) déposa sa demande de brevet deux heures après celle de Bell. En 1979, les Laboratoires Bell (du nom de l'inventeur) lancèrent le téléphone mobile qui permet de téléphoner tout en se déplaçant, grâce à un réseau informatique. Si l'on est équipé d'un ordinateur et d'une ligne téléphonique ordinaire, on peut accéder à « Internet », système de réseaux qui est devenu un espace de rencontre et une source d'informations.

Un ancien central téléphonique
Si l'Américain Almon B. Strowger (1839-1902) n'avait pas inventé le central automatique en 1889, l'augmentation du coût des télécommunications aurait probablement fini par étouffer le système. Un opérateur devait connecter chaque appel en enfichant un câble dans un standard. Les premiers centraux automatiques étaient de véritables monstres mécaniques bruyants. Les ordinateurs exécutent aujourd'hui ce travail en silence.

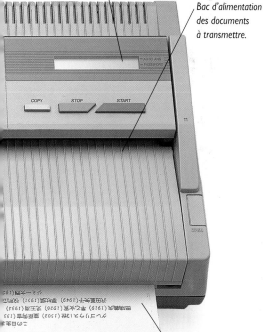

Écouteur

L'antenne envoie et reçoit des ondes radio.

Les touches sont les mêmes que sur un téléphone ordinaire.

Le téléphone tient dans la paume de la main.

Un affichage à cristaux liquides informe sur l'état de la communication.

Le micro se replie.

Ce petit téléphone commute d'une fréquence à l'autre en maintenant le contact entre les correspondants.

Téléphone mobile
Il y a 20 ans, cet instrument de communication miniature relevait encore de la science-fiction. Aujourd'hui, il est devenu de plus en plus courant. Il est le fruit de l'avancée de nombreuses technologies concomitantes : le perfectionnement des plastiques (p. 26-27), les améliorations des techniques radio, des batteries, de l'informatique et surtout des microprocesseurs (p. 54). Un maillage d'émetteurs-récepteurs radio peu puissants relie le téléphone mobile à un réseau informatique chargé de le suivre où qu'il soit pour établir la communication. Les stations radio voisines doivent utiliser des fréquences différentes pour éviter les interférences.

Bac d'alimentation des documents à transmettre.

Les documents reçus sont imprimés sur du papier thermique (sensible à la chaleur).

La vidéoconférence
L'idée d'un équipement permettant de voir son correspondant est indissociable de l'invention du téléphone. Comme le télécopieur, la vidéoconférence utilise l'informatique et les microprocesseurs. Mais la restitution d'image mobilise une très grande quantité d'informations, la plupart sans intérêt, dont le transport par câble revient cher. On peut à présent compresser l'image par ordinateur pour que sa transmission soit plus rapide et moins onéreuse, et permettre à plusieurs personnes de s'entretenir à distance tout en se voyant, au lieu de se rencontrer face à face : c'est la vidéoconférence.

L'homme perçoit les couleurs grâce aux cônes de sa rétine, qui n'en distinguent que trois (le rouge, le vert et le bleu), et à son cerveau, qui recompose toute la gamme des nuances. Culturellement, on a coutume d'associer les couleurs à des sensations ; aussi, créateurs et fabricants étudient minutieusement l'emploi de tel ou tel coloris. La technologie y participe de différentes façons : la qualité des teintures garantit aux vêtements des couleurs qui ne pâlissent pas ; les nouveaux pigments parent de nuances plus éclatantes voitures et cosmétiques. Le recours à un système de mesure international (p. 30-31) permet d'évaluer très précisément et d'accorder parfaitement les couleurs et les dimensions de pièces détachées provenant de différents pays. Enfin, la couleur fait également son entrée en force dans le domaine de l'imagerie scientifique et médicale.

Une ancienne teinturerie

Jusqu'à la découverte de la première teinture artificielle par W. Perkin en 1856, on colorait les tissus avec des extraits naturels. Les pigments synthétiques les ont supplantés mais le bleu des toiles de jean provient encore de l'indigo végétal.

Les résultats sont enregistrés puis comparés à ceux d'autres lots.

Le numéro de référence est reconnu internationalement.

Le colorimètre est tenu au-dessus d'un échantillon de moutarde.

Des détecteurs électroniques analysent la lumière réfléchie.

Le colorimètre dans l'industrie alimentaire

La moindre variation de couleur des aliments peut détourner le consommateur. Or, les teintes des substances à base d'ingrédients naturels varient d'une série à l'autre. Aussi le coloris final est-il ajusté grâce à des colorants mesurés avec un colorimètre bien calibré, de manière à garantir une teinte constante aux produits.

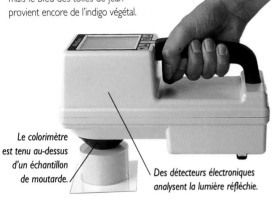

La luminosité s'accroît du noir au blanc.

Couleurs désaturées claires

Couleurs saturées

Couleurs désaturées sombres

Les couleurs au centre présentent une saturation égale à zéro (gris).

L'échelle de couleurs en trois dimensions

Les couleurs sont définies par trois paramètres : tonalité chromatique, saturation et clarté. La tonalité chromatique indique la place de la couleur dans le spectre (p. 59). La saturation correspond à la pureté de la tonalité. La clarté est liée à la quantité de lumière émise par la surface examinée.

La précision du nuancier

Une charte permet de donner un numéro de référence correspondant exactement à la nuance souhaitée. Ce système international garantit une fabrication standardisée dans l'imprimerie, l'emballage et pour les concepteurs de produits.

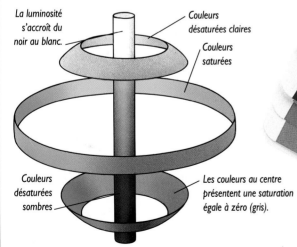

Noir de fumée

Vert Véronèse tiré du sol

Terre ocre jaune

Terre ocre rouge

Bleu outremer
(minéral : lapis-lazuli)

Bleu égyptien
(verre coloré avec du cuivre)

Les couleurs naturelles

Teintures et pigments possèdent tous deux un pouvoir colorant qui agit de manière différente. Les teintures sont des solutions à base de molécules isolées qui imprègnent le matériau après l'évaporation du liquide. Les pigments sont constitués des fragments minuscules d'une substance colorée (comme ceux de minéraux).

Les peintures acryliques

Ces peintures sont constituées de gouttelettes microscopiques de plastique acrylique (p. 26-27) qui restent en suspension dans l'eau avec des pigments. Après l'évaporation de l'eau, les gouttelettes s'associent pour former une couche étanche.

Acrylique rouge

Acrylique jaune

Une couche protectrice

Le liant des peintures à l'huile du XVe siècle était constitué d'huile de lin, bouillie et diluée avec de l'essence de térébenthine. L'huile de lin durcit à l'oxygène de l'air. Les peintures modernes sont à base de résines synthétiques dérivées du pétrole. La couleur provient des millions de particules de pigments qui absorbent ou reflètent les couleurs. Les peintures à l'huile assurent aussi une excellente protection du métal contre la corrosion de l'air et de l'eau.

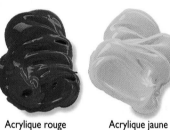

Chaque nuance est définie par la proportion des pigments de base à mélanger.

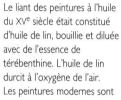

Page terminée avec la gamme de couleurs complète

La photogravure électronique analyse les images au scanner et fournit des clichés dans les trois couleurs de base et en noir et blanc.

Noir

Magenta, cyan et jaune

Jaune

Magenta et cyan combinés

Magenta

Cyan

Le cyan, le magenta et le jaune absorbent respectivement le rouge, le vert et le bleu. L'impression restituera toutes les nuances.

Couleurs successives

Les images en noir et blanc sont imprimées avec une encre noire qui absorbe toutes les couleurs. Les images en couleurs sont imprimées avec trois encres successives.

Cuisine du XIXᵉ siècle
Une bonne conception traduit les besoins d'une époque. Aujourd'hui, les cuisines sont plus petites.

L'invention est la découverte d'un nouveau principe et la recherche de ses applications. À l'inverse, la conception doit résoudre un problème à partir de principes déjà établis. Mais la frontière qui sépare ces deux démarches reste floue : il arrive que des concepteurs inventent de nouveaux produits tandis que certains inventeurs ne semblent occupés qu'à recycler de vieilles idées. Ainsi, en ingénierie, les concepteurs s'inspirent de techniques scientifiques pour traiter la construction de ponts, de voitures ou d'ordinateurs. Dans le domaine industriel, ils cherchent à fabriquer des objets capables de répondre à l'attente des acheteurs. De leur côté, les stylistes de mode élaborent des objets éphémères. Le métier de concepteur est un travail d'équipe, chaque membre étant spécialisé dans le traitement d'un aspect du projet.

Logo

Corps moulé en fonte

Commande de vitesse

Bol en acier inoxydable verni

Un objet de facture industrielle
L'usage domestique de l'électroménager ne s'est répandu que dans les années 40 aux États-Unis, et en Europe dix ans plus tard. La construction en fonte et en acier inoxydable de ce mixer des années 50 et ses commandes trahissent son origine industrielle. Mais sa couleur rouge et son logo le distinguent comme un objet destiné à des particuliers.

Un mixer moderne
Les dessinateurs industriels des années 50 n'étaient souvent consultés qu'en dernier recours, pour ajouter un peu de style . à des produits déjà conçus. Les concepteurs des années 60 collaboraient avec les ingénieurs dès le début des projets. Ils pouvaient ainsi prendre en compte les usages et les attentes des utilisateurs. Cette association de compétences déboucha sur toutes sortes de produits réalisés industriellement. Ce mixer, fabriqué en 1992 par la même maison que le précédent, possède un corps en alliage moulé (p. 16-17), plus léger et plus lisse. D'un emploi facile et sûr, et plus esthétique, il possède un moteur puissant muni d'une commande électronique de vitesse.

Éjecteur d'accessoires

Le mécanisme d'entraînement fait tourner le fouet dans le bol autour d'un axe mobile.

Le batteur est dessiné de manière à brasser tout le volume du bol.

Bol en acier inoxydable avec finition brossée

Corps en alliage moulé

Surface extérieure polie pour faciliter le nettoyage

La charnière de la tête basculante est dissimulée à l'intérieur du corps du mixer.

John Smeaton (1724-1792)
Premier dessinateur industriel professionnel, il proposa la construction d'un phare en forme d'arbre.

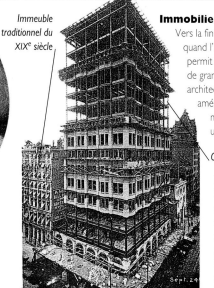

Immeuble traditionnel du XIXᵉ siècle

Ossature en acier

Immobilier américain

Vers la fin du XIXᵉ siècle, quand l'utilisation de l'acier permit la construction de grands immeubles, architectes et ingénieurs américains virent là le moyen d'aménager un espace urbain accueillant plus de population. Pour ne pas trop dépayser les habitants, l'architecte de ce gratte-ciel de 1898 le fit revêtir d'un parement décoratif. Le « mouvement moderne » des années 30 inaugura les constructions aux ossatures apparentes.

L'adaptation à l'architecture est si difficile à prévoir qu'il faut ensuite plusieurs années pour tester les constructions et les ajuster à la réalité.

Modèle architectural

Architectes et urbanistes tentent de prévoir les réactions des gens à un environnement nouveau. Leurs maquettes sont faites pour tester leurs projets.

Environnement paysagé
Bâtiments hospitaliers

Maquette d'un complexe hospitalier

Test en soufflerie

Aujourd'hui, les consommateurs demandent des voitures plus rapides mais qui consomment moins d'essence. On étudie avec précision l'aérodynamisme d'un véhicule en soufflant des jets de fumée pour visualiser le trajet des flux d'air.

La courbe de la carrosserie qui perturbe une traînée de fumée doit être redessinée.

De tels tests renseignent sur la vitesse, la température, le bruit et les vibrations. Ces informations précieuses aideront les ingénieurs à détecter les moindres défauts et à affiner leurs modèles.

Réacteur

Test de réacteur

Les gros propulseurs à réaction sont complexes et puissants. Aussi doit-on tester un modèle directement issu de la table à dessin, des effets imprévus pouvant toujours se manifester. Ici, le moteur est maintenu sur un banc d'essai à l'air libre, pour mesurer son niveau de bruit. Des capteurs envoient par signaux radio les données jusqu'à l'ordinateur.

Conception assistée par ordinateur

De nos jours, il est impossible d'imaginer de la conception sans l'assistance des ordinateurs. Les ingénieurs d'il y a trente ans ne recouraient même pas à une calculatrice de poche. De ce fait, de nombreux projets butaient sur la complexité et la longueur des calculs mathématiques qu'ils exigeaient. Les concepteurs en ingénierie utilisent à présent de puissantes stations de travail qui rendent possible la visualisation des créations, en couleurs et en trois dimensions. Le recours à la simulation permet, en outre, de tester les assemblages et de s'assurer de l'homogénéité de l'ensemble, ce qui signifie une grande économie de temps et donc d'argent.

Modèle en trois dimensions d'un assemblage complexe montrant comment les parties s'agencent

Diagramme en deux dimensions montrant les connexions dans un réseau

L'électronique est une invention relativement récente. Les transistors ont été inventés en 1947. Les circuits intégrés (les puces) ne sont apparus qu'en 1962. Le rôle de l'électronique consiste essentiellement à capter, à transmettre et à exploiter l'information, sous forme de courant électrique. À la différence des interrupteurs ordinaires, un interrupteur électronique – comme le transistor – peut être actionné par un signal électrique. Les circuits intégrés logiques sont constitués d'assemblages complexes de transistors sur une minuscule plaquette de silicium ; ils réalisent des opérations à partir des informations codées électriquement. La vitesse de développement de l'électronique est stupéfiante.

Fabrication des puces

On fabrique les puces électroniques en ajoutant des impuretés dans des tranches de cristal de silicium pur. Ces altérations créent des motifs microscopiques qui contrôlent le courant électrique.

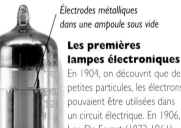

Électrodes métalliques dans une ampoule sous vide

Les premières lampes électroniques

En 1904, on découvrit que de petites particules, les électrons, pouvaient être utilisées dans un circuit électrique. En 1906, Lee De Forest (1873-1961) trouva comment contrôler ces électrons électriquement en créant le premier amplificateur électronique : la triode.

Lampe des années 50

Patte métallique pour évacuer la chaleur

Patte de connexion

Le transistor

À l'intérieur des transistors, les électrons circulent dans un solide – semi-conducteur – qui ne nécessite pas de chaleur pour les produire. Ce qui rend les transistors moins chers et plus petits. Les modèles individuels servent au contrôle des moteurs. La fabrication des transistors ne modifie qu'un matériau, le cristal de silicium, ce qui permet de les regrouper par milliers dans une puce.

La première puce (microprocesseur) expérimentale en silicium fut réalisée en 1958.

Une puce agrandie

Les puces d'aujourd'hui comptent jusqu'à un million de transistors sur quelques millimètres carrés.

Le bras se déplace vers une piste pour recueillir les informations stockées.

La tête de lecture-écriture est guidée par les informations stockées sur le disque lui-même.

Mécanisme de sélection de piste

Disque dur

Privés de mémoire, les ordinateurs n'auraient aucun intérêt. Ils possèdent des mémoires électroniques rapides, qui stockent tout ce qui est utile pour le travail en cours, et une mémoire à accès lent (comme ce disque magnétique) qui sert à conserver les informations lorsque l'ordinateur est éteint. Son coût est moins élevé que celui des mémoires vives. Quand l'ordinateur recherche une information sur le disque, il peut la trouver en une fraction de seconde.

Le disque dur est recouvert d'un matériau magnétique.

Simulations par ordinateur

Les chercheurs en technologies avancées disposent d'énormes capacités de calcul grâce aux ordinateurs. Les stations informatiques sont capables de traduire les mathématiques en images, à des vitesses étonnantes. Pour réaliser cette image, qui illustre le mouvement de l'air autour d'un véhicule spatial qui pénètre dans l'atmosphère, la station a effectué des calculs qui auraient mobilisé un chercheur pendant toute sa vie. De telles simulations sont indispensables pour tester des projets et les modifier en fonction des résultats.

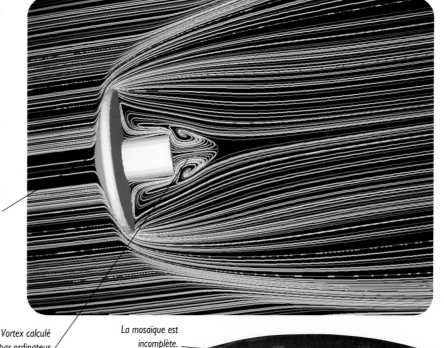

Un foret découpe le plastique.

Bord d'attaque de la sonde simulée

Le programme de l'ordinateur guide et contrôle la réalisation du modèle.

Déchets

Vortex calculé par ordinateur

La mosaïque est incomplète.

La couleur est ajoutée électroniquement sur la Terre.

Conception assistée par ordinateur

Jadis, les ingénieurs dessinaient pendant des jours avant qu'une pièce soit usinée. Aujourd'hui le travail prend forme sur une machine qui sculpte des modèles en trois dimensions sous le contrôle d'un ordinateur.

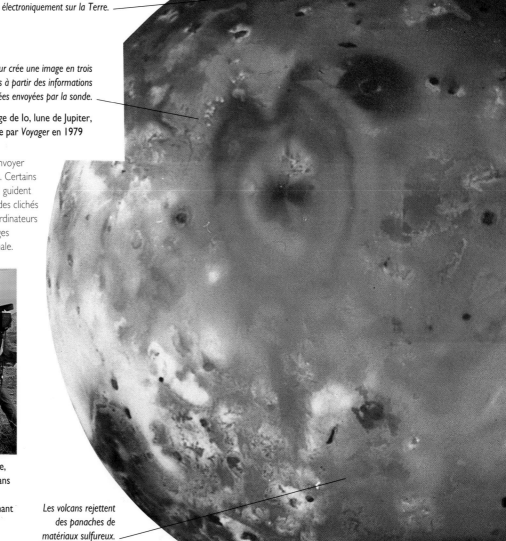

L'ordinateur crée une image en trois dimensions à partir des informations digitalisées envoyées par la sonde.

Image de Io, lune de Jupiter, prise par *Voyager* en 1979

Io, l'une des lunes de Jupiter

Sans les ordinateurs, les calculs nécessaires aux déplacements des vaisseaux spatiaux auraient été impossibles. Sans l'électronique et les communications, il aurait été vain d'envoyer des sondes spatiales. Certains ordinateurs de bord guident la sonde qui prend des clichés alors que d'autres ordinateurs assemblent ces images en une mosaïque finale.

Électronique et informations

La collecte électronique des informations a commencé vers 1970 avec les caméras de télévision portables et les enregistreurs vidéo. Les images de guerre, prises ici au Liban dans les années 80, nous parviennent maintenant en direct sur notre écran de télévision.

Les volcans rejettent des panaches de matériaux sulfureux.

**Howard Florey
(1898-1968)**
Il isola en 1939 le principe actif
du premier antibiotique obtenu
à partir de la pénicilline.

L'appréhension du corps fut bouleversée à partir du XVIIe siècle, lorsque René Descartes (1596-1650) le décrivit comme une machine régie par des lois mécaniques. Depuis lors, cette conception n'a cessé d'être consolidée par les progrès technologiques. Si la technologie médicale contemporaine peut paraître parfois effrayante, elle est souvent bien plus douce que les méthodes dont on usait il y a encore 150 ans. Les avancées techniques ont mis à la disposition des médecins des instruments de précision particulièrement précieux pour diagnostiquer une maladie, et des équipements chirurgicaux très performants. De nos jours, il est possible d'effectuer des explorations poussées à l'intérieur du corps humain sans opération, de pratiquer des microchirurgies et de transplanter des organes comme les reins ou le cœur.

**Scie
romaine**
L'os vivant
est très dur.
Pour le scier,
il faut avoir
une scie bien
aiguisée.
Cet instrument
chirurgical
romain, vieux
de 2 000 ans,
servait à scier
les os lors des
amputations.

*Une poignée
en bois était
attachée ici.*

L'amputation autrefois
Ce chirurgien du XVIIIe siècle
n'a vraisemblablement lavé
ses mains qu'après l'amputation.
Cette méconnaissance
de l'hygiène la plus élémentaire
a sans doute coûté la vie
à son patient.

Les substances
anesthésiques
ne seront
utilisées que
vers 1850 ; les
antiseptiques,
seulement
bien plus tard.

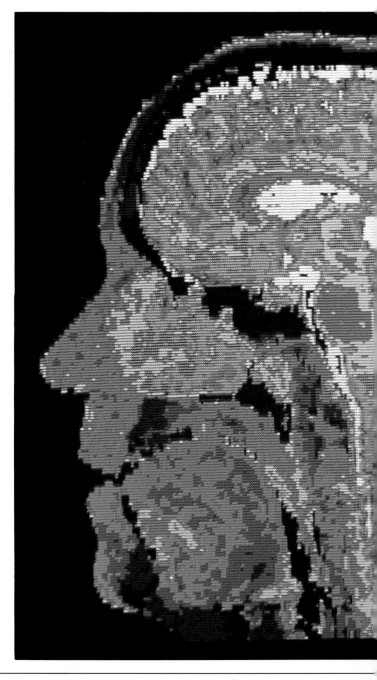

Système digestif
de la sangsue

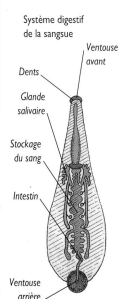

Ventouse
avant

Dents

Glande
salivaire

Stockage
du sang

Intestin

Ventouse
arrière

Les sangsues
Pendant des siècles, on crut que
les fièvres provenaient d'un excès
de sang dans le corps. Aussi,
pour évacuer ce surplus, on
pratiquait la saignée ou la pose
de sangsues. Ces animaux,
apparentés aux vers annélides,
vivent en eaux douces.
Ils entaillent la peau de leurs
dents et s'accrochent avec leurs
ventouses pour sucer le sang,
qui est leur seule nourriture.

La salive des
sangsues contient
une substance
qui fluidifie le sang
et un anesthésique
qui rend la morsure
indolore. On n'utilise
plus les sangsues,
mais certains de
leurs constituants
chimiques servent
à prévenir la
formation de caillots.

La radiographie aux rayons X

Grâce aux rayons X, découverts par le physicien allemand Wilhelm Roentgen (1845-1923) en 1895, les médecins ont pu observer, pour la première fois, l'intérieur du corps humain. Une image aux rayons X restitue les différences de densité entre les organes sur un film photographique.

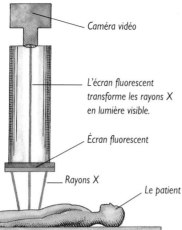

Caméra vidéo

L'écran fluorescent transforme les rayons X en lumière visible.

Écran fluorescent

Rayons X

Le patient

Source d'électrons

La cible tourne pour éviter sa surchauffe par les électrons.

Tube de rayons X

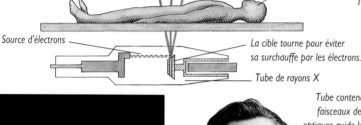

Chirurgie réparatrice

Il est possible de réparer des membres cassés. L'os est un composite naturel dur (p. 28-29) qui se fragilise chez les personnes âgées. Il suffit alors d'une simple chute pour casser net le col du fémur. Cette radiographie aux rayons X illustre une opération devenue banale : une broche de métal inoxydable, titane ou acier, a été posée pour consolider la fracture.

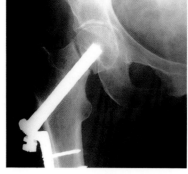

Les marques indiquent la profondeur atteinte par l'endoscope lors de son introduction dans le corps.

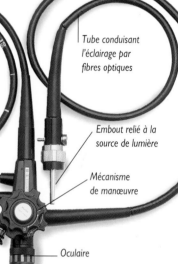

Tube conduisant l'éclairage par fibres optiques

Tube contenant les faisceaux de fibres optiques guide-lumière et guide-image

Extrémité de l'endoscope

Embout relié à la source de lumière

Mécanisme de manœuvre

L'endoscopie

L'endoscope rend une image plus détaillée que les scanners ou les rayons X : la lumière passe au travers d'un faisceau de fibres de verre formant chacune un point de l'image qu'elles restituent avec une netteté parfaite.

Oculaire

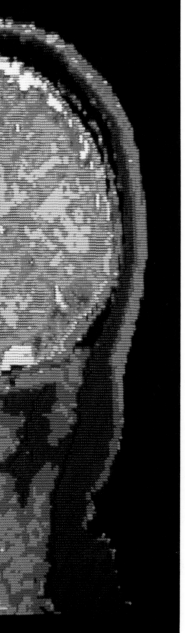

Godfrey Hounsfield (né en 1919)

Hounsfield a inventé en 1972 le scanner ou tomodensitomètre, qui associe une source de rayons X à un détecteur, l'ensemble tournant autour du patient. Le scanner permet une localisation plus précise que la radiographie traditionnelle.

Fécondation *in vitro*

Cette technique médicale complexe peut aider les couples stériles. Il s'agit d'injecter un spermatozoïde à l'intérieur d'un ovule qui a été prélevé, puis d'implanter l'ovule fécondé dans l'utérus de la mère.

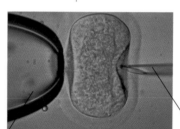

Tube de verre qui maintient l'ovule fixe

Spermatozoïde injecté à l'aide d'une aiguille creuse

Une minuscule caméra reliée à un laparoscope donne une image qui permet de diriger l'action du laser.

Exploration du cerveau

Depuis la fin des années 1970, on dispose d'images obtenues grâce au scanner à résonance magnétique nucléaire (RMN). Les atomes, placés dans un champ magnétique puissant, vibrent à une fréquence proche de celle d'une onde radio. En faisant varier le champ magnétique et l'onde radio, et en analysant les mesures obtenues par ordinateur, les tissus les plus délicats, comme ceux du cerveau, sont révélés dans leurs moindres détails.

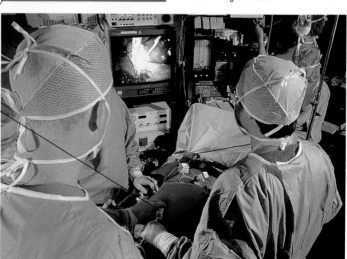

La vidéochirurgie

La microchirurgie présente d'énormes avantages sur la chirurgie classique : moins de complications, cicatrisation et rétablissement plus rapides. Le chirurgien, guidé par l'image sur écran vidéo, découpe ou soude les tissus de façon très précise, avec un bistouri à laser.

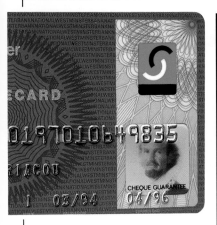

Toutes les technologies ne sont pas motivées par des besoins. Scientifiques et ingénieurs découvrent ou inventent souvent des objets sans aucune utilité apparente qu'ils développent par pur esprit de recherche. Ainsi, le premier laser fut construit en 1960 à partir des idées élaborées par le physicien Albert Einstein (1879-1955) en 1917. Le laser sortit des applications de laboratoire pour se prêter à de nombreux autres domaines, dont la fabrication d'hologrammes – qui restituent l'impression de relief et de réalité grâce à la lumière laser – et la microchirurgie au laser.

Cartes infalsifiables

La copie de l'hologramme inclus dans le plastique est si onéreuse qu'elle empêche la fabrication de fausses cartes.

Isaac Newton (1642-1727)

L'histoire des théories sur la lumière est mouvementée. Pour Newton, la lumière était constituée de petites particules émises à travers l'espace. Cette théorie tomba dans l'oubli face à une autre qui privilégiait le caractère ondulatoire de la lumière. Aujourd'hui on sait que la lumière associe les deux aspects : corpusculaire et ondulatoire.

LA LUMIÈRE INFRAROUGE

Découverte au XIXe siècle par William Herschel (1738-1822), elle a de multiples applications, allant de la détection des pertes de chaleur à la lecture de disques compacts.

Holographie de maquette

L'holographie est une forme de photographie qui permet, grâce à la lumière laser, d'enregistrer sur une surface sensible les informations nécessaires à la restitution en relief du sujet holographié. Ci-dessus, maquette de la Cité des sciences à Paris.

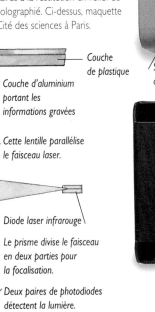

La surface supérieure est recouverte de vernis.

Cette lentille bouge pour focaliser le laser sur la couche d'aluminium.

Miroir semi-transparent

Couche de plastique

Couche d'aluminium portant les informations gravées

Cette lentille parallélise le faisceau laser.

Diode laser infrarouge

Le prisme divise le faisceau en deux parties pour la focalisation.

Deux paires de photodiodes détectent la lumière.

Lecture d'un disque compact

Le lecteur de disques compacts utilise la lumière laser d'une diode infrarouge pour lire les informations du disque en rotation. Les microcuvettes gravées dans l'aluminium provoquent des différences de luminosité dans le faisceau réfléchi.

Des photodiodes détectent ces variations ; leur signal est décodé et transformé en musique.

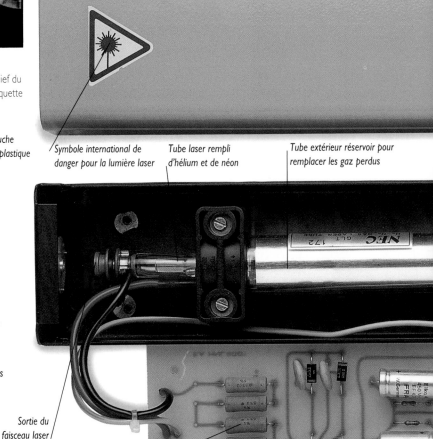

Symbole international de danger pour la lumière laser

Tube laser rempli d'hélium et de néon

Tube extérieur réservoir pour remplacer les gaz perdus

Sortie du faisceau laser

Composants électroniques

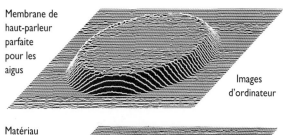

Membrane de haut-parleur parfaite pour les aigus

Matériau de membrane défectueux

Images d'ordinateur

Zones froides colorées en bleu

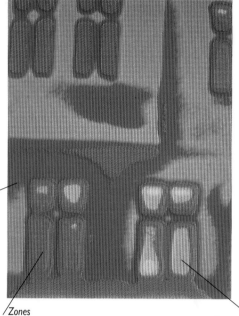

Une maison vue aux infrarouges

Chaque objet émet des radiations du type de celles de la lumière. Les radiations émises des objets froids sont plus longues que celles de la lumière, donc invisibles. Lorsque la température augmente, la longueur d'onde diminue jusqu'à présenter des lueurs rouges : l'objet est porté au rouge. Bien avant d'atteindre cet état, l'objet émet dans l'infrarouge (*infra* signifie « sous », en latin). Ainsi, lorsqu'on s'équipe d'une caméra qui permet de voir la lumière infrarouge, on peut visualiser la température d'objets relativement froids. Sur cette image de maison vue aux infrarouges, le bleu des murs indique qu'ils sont froids, tandis que la coloration rouge de la fenêtre montre que celle-ci est aussi chaude que l'air à l'intérieur de la maison. L'énergie calorifique est donc perdue par les fenêtres.

Contrôle du son des enceintes acoustiques

Le laser permet aussi de contrôler des surfaces en mouvement. Il est notamment utilisé pour tester la bonne qualité des haut-parleurs. Le haut-parleur est constitué d'une membrane vibrant au rythme des impulsions électriques émises par une source ; si elle vibre

à des fréquences parasites, le son sera brouillé. Le faisceau laser balaye très rapidement la surface de cette membrane en vibration et analyse sa réflexion par un système électronique ; l'ordinateur restitue sur écran l'image des déplacements de cette surface. Les ingénieurs acousticiens évaluent ainsi les défauts dus, par exemple, à un mauvais choix du matériau (ci-dessus).

Zones chaudes en rouge

Zones très chaudes en jaune

Un prisme en verre sépare en les déviant les différentes couleurs de la lumière blanche.

Rayonnement infrarouge invisible

Rouge

Violet

Rayon de lumière blanche

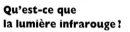

Qu'est-ce que la lumière infrarouge ?

Un prisme en verre produit un spectre en séparant les différentes composantes de la lumière blanche.

En 1800, William Herschel plaça un thermomètre au-dessus du rouge du spectre : la température augmenta. Herschel baptisa ce rayonnement invisible « lumière infrarouge ».

Les opérations chirurgicales de l'oreille interne sont particulièrement délicates.

Chirurgie des oreilles au laser

L'oreille interne, qui traite les sons, est profondément implantée dans le crâne, derrière un ensemble de petits os solides. En cas de problèmes d'audition, le laser à argon apporte une alternative à l'opération au bistouri (qui comporte toujours des risques). Le chirurgien dirige le faisceau de la puissante lumière bleue dans l'oreille et peut alors, en observant ses effets au microscope, détruire les tumeurs ou sculpter les petits os de l'oreille interne.

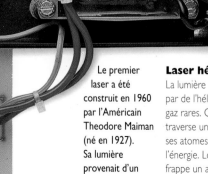

Le premier laser a été construit en 1960 par l'Américain Theodore Maiman (né en 1927). Sa lumière provenait d'un barreau de rubis.

Laser hélium-néon

La lumière du laser est produite par de l'hélium et du néon, deux gaz rares. Quand l'électricité traverse un gaz du type du néon, ses atomes sont excités par l'énergie. Lorsqu'un photon frappe un atome excité, celui-ci émet à son tour un photon de

longueur d'onde identique. Réfléchis entre deux miroirs, les photons entrent en collision avec d'autres atomes, multipliant ainsi les photons. Cette réaction est très rapide et un flux de photons identiques (la lumière laser) se déverse à travers un miroir semi-transparent à un bout du tube.

Depuis les temps les plus anciens, l'homme exploite certains micro-organismes pour la préparation d'aliments et de boissons fermentées. Ainsi, on se sert de levures dans la panification et la brasserie, et de bactéries pour la transformation du lait en fromage. Les biotechnologies modernes issues de ces méthodes ancestrales les ont largement dépassées : on cultive des souches de micro-organismes pour produire des antibiotiques (p. 56) ou des protéines. Ces techniques découlent directement de la découverte de la structure de l'ADN vers 1950. En modifiant les caractères de l'ADN d'un micro-organisme, le génie génétique a ouvert la voie à des entreprises très prometteuses dans les domaines du médicament, de l'alimentation et de l'agriculture.

Une technique très ancienne

La technique de fabrication de la bière existe depuis des milliers d'années. Cette boisson est obtenue par fermentation de céréales germées dans de l'eau.

Organismes végétaux responsables de la fermentation, les levures transforment une part du sucre en alcool et en gaz carbonique.

Un aliment riche en protéines

Une grande partie de la population de la planète ne dispose que d'une alimentation pauvre en protéines. La viande est la principale source de protéines, mais certaines plantes, comme le soja, les algues ou les levures, en contiennent beaucoup. Des pâtés, tels que celui-ci, à base de levures cultivées dans des bacs de fermentation, sont tout aussi nutritifs qu'un morceau de bœuf.

Fabrication du fromage de chèvre

On compte des centaines de variétés de fromages (p. 46). Ils sont confectionnés à partir du lait de vache, de chèvre ou de brebis, lequel a subi l'attaque d'organismes invisibles, appelés bactéries. En consommant le sucre du lait, ces bactéries le transforment en acide qui fait cailler le lait (p. 46). Il existe différents types de bactéries : chacune donne une saveur spécifique au fromage.

Lait de chèvre caillé versé dans des faisselles

Forme traditionnelle de faisselle pour le fromage de chèvre

Le lait caillé est égoutté avant d'être moulé.

Les gènes

L'ADN (l'acide désoxyribonucléique) porte un code chimique qui se transmet d'une génération à la suivante. Chaque portion de ce code, qui contrôle un caractère unique, est appelé gène. Chaque gène est constitué de molécules chimiques : les bases.

Les organismes vivants possèdent tous les quatre mêmes bases agencées selon des combinaisons multiples, de même que des livres différents sont écrits avec le même alphabet.

Croûte protectrice

Les fromages traditionnels doivent en partie leur saveur aux moisissures. Un fromage frais est plus sensible aux attaques de bactéries indésirables. Il faut soumettre les fromages à des conditions appropriées pour que des spores de moisissures s'y s'établissent et s'y développent, en tuant les autres bactéries, et forment ainsi une croûte protectrice.

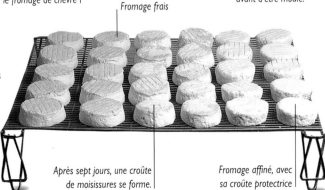

Fromage frais

Après sept jours, une croûte de moisissures se forme.

Fromage affiné, avec sa croûte protectrice

Les bactéries qui sauvent des vies

L'insuline, hormone sécrétée par le pancréas qui régule le taux de sucre dans le sang, a été découverte par les scientifiques canadiens Frederick Banting (1891-1941) et Charles Best (1839-1978) en 1921. Le diabète est dû à une déficience en insuline. Le traitement apporte de l'insuline au malade.

En introduisant la portion de gène humain chargée de fabriquer l'insuline dans l'ADN de bactéries, celles-ci peuvent synthétiser naturellement cette hormone et délivrer de grandes quantités d'insuline en se développant dans des bacs à fermentation.

LA CULTURE *IN VITRO*

Le génie génétique identifie et manipule des gènes par combinaison, mais il est incapable d'en inventer ou d'en créer de nouveaux. Seul le milieu naturel fournit le matériau brut pour les biotechnologies. Mais ce milieu naturel étant progressivement détruit, des espèces végétales et animales uniques disparaissent, ce qui appauvrit la diversité génétique. Des banques de gènes ont été créées, mais si les graines sont d'un stockage aisé, les plantes vivantes restent un bien meilleur support pour assurer la survie des espèces.

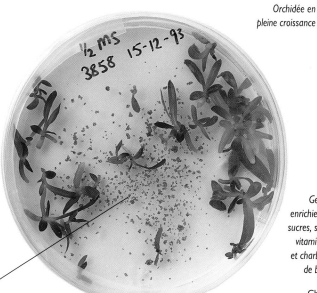

Les graines d'orchidées
Contrairement aux autres plantes, les graines d'orchidées ne disposent d'aucune réserve nutritive. Dans la nature, les petits embryons d'orchidées ne se développent pas sans l'aide d'un champignon particulier qui leur assure la nourriture nécessaire. Pour que les gènes de ces espèces en danger survivent, on emploie ces champignons ou on les remplace.

On peut identifier les graines avec un fort grossissement, ici environ mille fois.

La gelée nutritive est à base de farine d'avoine.

Orchidée en pleine croissance

Gelée enrichie en sucres, sels, vitamines et charbon de bois

Croissance dans la gelée
Au bout de plusieurs mois, les orchidées se sont assez développées pour être plantées dans des pots et traitées selon les méthodes classiques de jardinage.

Chaque cellule de la plante adulte contient une copie des gènes de l'embryon originel.

Image au microscope électronique d'une coupe de pancréas

Les couleurs sont produites électroniquement.

La germination
Une fois séchées, les graines sont semées dans un récipient plein de gelée nutritive. Les semences ne pouvant utiliser cette nourriture sans l'aide du champignon approprié ou de son substitut, on en ajoute dans le récipient.

Pour éviter que le champignon ne tue les petites pousses, on les transfère dans un autre récipient.

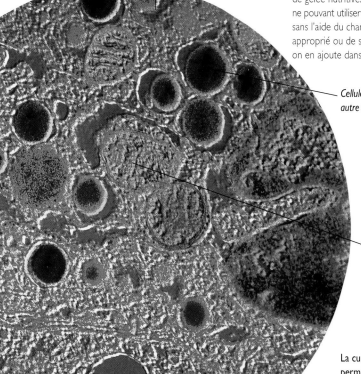

Cellule produisant une autre hormone : le glucagon

Les fleurs mauves produisent des graines microscopiques.

Cellule du pancréas produisant l'insuline

La culture *in vitro* a permis à une graine de devenir cette plante destinée à transmettre son héritage génétique.

La plante adulte
Cette orchidée bleue (*Vanda caerulea*) pousse dans les pays tropicaux, comme ceux du Sud-Est asiatique, où son existence est menacée.

Universal Soldier (1992)
Cette scène du film *Universal Soldier* préfigure un futur où le corps humain ne serait plus que le composant d'une machine.

La fin du XVIIIᵉ siècle marque un tournant décisif dans l'histoire de la technologie, notamment grâce à l'apparition des moteurs thermiques (p. 36-37). Devenue pour certains synonyme de confort et de mieux-être, la technologie va devoir ralentir son développement, à cause de ses effets destructeurs sur le milieu naturel et de sa consommation en énergies fossiles non renouvelables. Face à l'envergure de ces problèmes, les gouvernements chargent ingénieurs et scientifiques de travailler à l'élaboration de procédés moins polluants et moins dangereux. Les recherches sur les nouvelles sources d'énergie, sur le recyclage des matériaux et sur les technologies appropriées aux pays en voie de développement sont devenues prioritaires.

Axe et ailettes usinés d'une seule pièce

Turbine en céramique
Cette pièce provient d'un turbocompresseur de voiture. Ce nouveau composant est une céramique, l'un de nos plus anciens matériaux (p. 8).

Les gaz d'échappement chauds entraînent les ailettes incurvées.

LES REVERS DE L'IMPÉRIALISME TECHNOLOGIQUE

Le papier est fabriqué à partir d'arbres dont le renouvellement prend du temps. Notre alimentation en eau pure dépend des précipitations. Les plastiques et les carburants sont tirés du pétrole, qui ne peut être renouvelé. Nos habitudes doivent être modifiées si nous ne voulons pas que nos exigences de confort finissent par menacer la vie même.

Recyclage des matériaux
Le recyclage de certains matériaux, comme les métaux, le papier ou le plastique, permet leur réutilisation et l'économie des ressources naturelles. La récupération de l'aluminium des canettes, par exemple, consomme moins d'énergie que son extraction à partir de minerai.

De nombreux produits sont fabriqués à partir de matériaux recyclés.

Bassins d'épuration
Les bassins de décantation, pourvus d'installations produisant des bulles d'air, accélèrent la dégradation naturelle des déjections humaines. Des bactéries ajoutées aux déchets détruisent certaines matières solides, formant une boue qui se dépose au fond du bassin. L'eau épurée peut ensuite retourner à la rivière.

Fabrication (p. 14) et remplissage des canettes
Ouverture et consommation
Rejet aux points de collecte

Une fois trié, l'aluminium est fondu, versé dans un moule géant et laminé pour être réutilisé pour de nouvelles canettes.

Le cycle de l'aluminium
Les canettes sont broyées pour former des ballots, puis rendues aux installations de recyclage. Le métal y est déchiqueté et les peintures éliminées avec de l'air brûlant. Une partie de cette chaleur provient de la combustion des gaz émis par la décomposition de la peinture elle-même.

Feuille d'aluminium laminé

Mise en ballots des canettes broyées

Aluminium fondu et coulé

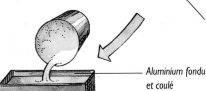

Une collecte efficace
La collecte des produits de consommation recyclables tels que les canettes, les vêtements et les papiers, consomme de l'énergie. Pour éviter de gaspiller de l'essence en les rassemblant lorsqu'ils sont dispersés, les conteneurs de récupération doivent être situés dans des lieux d'affluence, comme les marchés ou les centres commerciaux. Chacun des ballots ci-dessus contient des milliers de canettes collectées à des fins de recyclage.

Moissonner le vent

Le soleil est la seule source d'énergie inépuisable que nous possédons. L'énergie solaire réchauffe inégalement l'atmosphère, créant des variations de pressions qui, à leur tour, induisent les vents. Les éoliennes des fermes de vent convertissent ces courants d'air en énergie électrique. Leurs turbines sont des versions modernes des moulins à vent qui servirent pendant les siècles précédant l'apparition de l'électricité. L'énergie éolienne n'est source d'aucune pollution chimique, mais les turbines, parfois bruyantes, peuvent dégrader le paysage, et de vastes surfaces sont nécessaires pour produire de petites quantités d'électricité. Si toutes les surfaces libres des États-Unis étaient utilisées, l'énergie générée ne comblerait que dix pour cent de la demande actuelle en électricité. Toutefois, une telle consommation pourrait être sensiblement réduite.

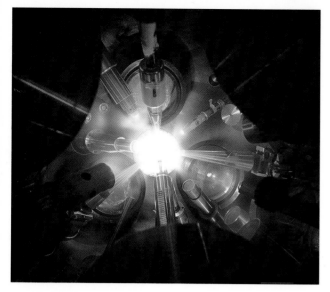

De l'énergie à partir de l'hydrogène

Si l'on parvient à contrôler l'énergie des bombes à hydrogène, on disposera d'une source d'énergie quasi inépuisable. Cette énergie provient de l'eau qui contient les isotopes lourds de l'hydrogène. La fusion nucléaire contrôlée pourrait être une source d'énergie du futur.

Fabrication d'une pompe à eau

On oublie trop souvent que la grande majorité de la population mondiale ne dispose ni de réfrigérateur, ni de lave-linge, ni même de l'eau courante. Le gaspillage d'énergie et de matériaux n'y est pas concevable. Les ressources naturelles n'étant pas inépuisables, le recyclage doit être généralisé. Cette pompe-jouet, par exemple, est faite d'une vieille boîte de conserve, de bois, de ficelle, de bouts de tuyau et de fil de fer. Elle fonctionne comme son modèle réel : facile à construire, elle n'utilise que l'énergie humaine et sert largement pour l'irrigation dans les pays les moins développés.

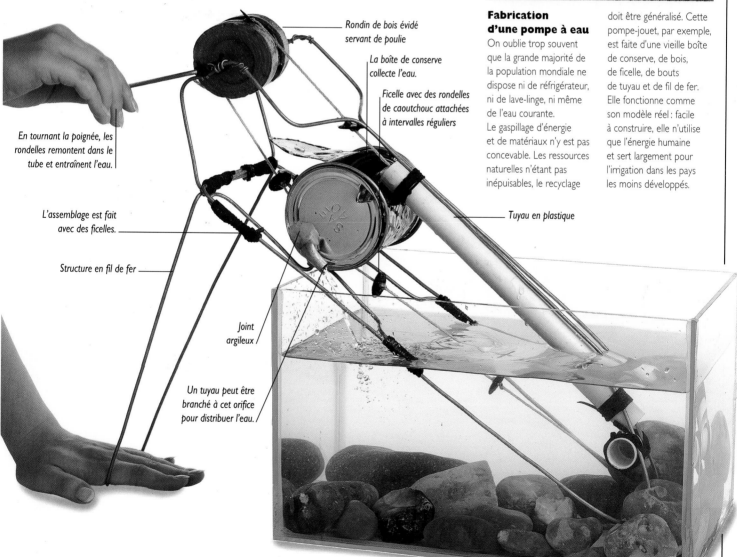

En tournant la poignée, les rondelles remontent dans le tube et entraînent l'eau.

Rondin de bois évidé servant de poulie

La boîte de conserve collecte l'eau.

Ficelle avec des rondelles de caoutchouc attachées à intervalles réguliers

L'assemblage est fait avec des ficelles.

Structure en fil de fer

Tuyau en plastique

Joint argileux

Un tuyau peut être branché à cet orifice pour distribuer l'eau.

REMERCIEMENTS

Dorling Kindersley tient à remercier :
Lexus (GB) Ltd; Pantone, Inc., 590 Commerce Blvd., Carlstadt, NJ 07072-3098 USA. PANTONE® est une marque déposée de Pantone, Inc.; The Ironbridge Gorge Museum Trust; Charlie Westhead de Neals Yard Creamery; Phil Hill et Terry Bennett de Readyweld Plastics Ltd; Brian Patrick et Andrew Rastall de Rolls-Royce plc, Derby; Peter Dickinson et Catherine Smith de Kristol Limited, Stalybridge, Cheshire; Alcan International; Dynamic-Ceramics; Julian Wright de Celestion International Ltd; John Tawn de Deplynn Engineering; Peter Griffiths; Jack Challoner; Frances Halpin; Neville Graham, Natalie Hennequin et Gary Madison; Anthony Wilson; Douglas Garland de R.B.R. Armour Ltd; Dr Michael Fay de Kew Gardens; Fran Riccini du Science Museum, Wroughton; Peter Skilton du Kirkaldy Testing Museum, Southwark; Naine Woodrow et Tom Hughes de North Street Potters, London SW4.

Illustrations John Woodcock, Janos Marffy, Nick Hall, Philip Argent et Eugene Fleury
Photographie : Peter Anderson, Peter Chadwick, Andy Crawford, Philip Dowell, David Exton, Philip Gatward, Christi Graham, Peter Hayman, Chas Howson, Colin Keates, Dave King, David Murray, Mike Nicholls, Tim Ridley, Susanna Price.
Index Jane Parker

ICONOGRAPHIE

h = haut; b = bas; c = centre;
g = gauche; d = droit

Alcan International 14g, 14b, 62bd. All Sport 7hg. Arcaid 53hd British Library 50hg British Museum 8hg, 12hd, 14hg, 24c. Bruce Coleman 61bd. e.t. Archive 34cd, 35bg, 44hg, 44bdt. Mary Evans Picture Library 34hd, 37cg, 47hg, 53hc. Ronald Grant Archive 62hg. Robert Harding Picture Library 7hd, 9hd, 10bg, 11c, 17hd, 24cg. Hulton Deutsch 29hg, 34bg, 42cg, 53hg, 56c. Illustrated London News 40cg. Image Select 6cg, 36hg.

44bg, 46hd. Mansell Collection 16cg, 38hg, 58hd. Microscopix 18hg. M.I.R.A. 43hd, 53cg. NASA 55bd. Richard Olivier 49bd. Robert Opie Collection 39c. Popperphoto cover, 37bd, 39bg, 57cg. Q.A. Photos 21hd. Range/
Bettmann 46cd. Rex Features 28hg, 43cd, 44hd, 55bg. Rolls-Royce plc Derby 3bg, 4bd, 7bg, 15bg, 15cg, 15cd, 53c, 53b, 53c, 53bg. Scala 21hg, 34bd. Science Photo Library 7bd, 13hd/Astrid and Hans Frieder Micheler 14hc & 15hc/Ben Johnson 16cd, /Dr Jeremy Burgess 27bd/Simon Fraser 31hg/Philippe Plailly 35bd/George Haling 43c/James King Holmes 47cg, /Geoff Lane 47bg/Malcom Feilding 54hg, /John Walsh 54cd/Ross Ressemeyer 55hd, 56hg/Martin Dohru 56bg, 56-57, 57hd, /Hank Morgan 57c/Geoff Tompkinson 57bd/Philippe Plailly 58cg/Alexander Tsiaras 59bd/James King Holmes 6ocd, /Sechi-Lecaque 61bg/John Walsh 62c, /Hank Morgan 62cd/Roger Ressemeyer 63hg/Martin Bond 63hg. Zefa cover c, 17hd, 21c, 37hg, 44bg, 51hd, 55cg, 59hc.

Les objets sur les pages énumérées ci-dessous se trouvent dans les collections des musées suivants :
University of Archaeology and Anthropology, Cambridge 14hg. British Museum, London 8hg, 12hg, 12cg, 16hg, 24cd, 35l, 39hd, 56cg. Design Museum, London 29hd, 32/33c, 40r, 41hg, 43hg, 49cg, 52b, 52cg. Ironbridge Gorge Museum, Shropshire 12cd, 13hg, 13hc, 13cd, 12cd, 16b, 17b. Kew Gardens, London 61hg, 61c, 61cd. Kirkaldy Testing Museum, London 12hg, 13bg, 20b, 21b. Museum of London 12hg. Natural History Museum, London 10hg, 26hg. Pitt Rivers Museum, Oxford 12bg. Science Museum, London 9bc, 9cd, 9bg, 22/23b, 27cd, 27cg, 28/29cb, 29cg, 30t, 30c, 30b, 31c, 33c, 34c, 35hd, 40bc, 41c, 42/43b, 44c, 45cg, 47hd, 47hcd, 54cg, 54c, 57cd.